MUJER, TRASCIENDE EL MIEDO

Dios cumplirá su propósito en ti

Angélica Peralta

Para Ana Caro
Con afectos y
Angélica Peralta
30 / Junio / 2023

B
BIENETRE
EDITORIAL

MUJER, TRASCIENDE EL MIEDO

Angélica Peralta

Publicado por: Editorial Bien-etre.

Diseño y Diagramación: Esteban Aquino, Ce Advertising.

Foto de portada: José Rodríguez

ISBN: 978-9945-628-11-1

Edición: Editorial Bien-etre.

www.a90d.com

Primera edición 2020.

Índice

DEDICATORIA

A mis padres, Juan de Jesús Peralta y Matilde Puello, por traerme al mundo con tantas ilusiones y amor. Y de manera especial a mi madre por estar al pie del cañón durante toda mi vida.

A todos mis hermanos maternos y paternos por formar parte importante de mi árbol genealógico familiar.

A ti Mujer, que has pensado rendirte cuando la respuesta que esperas tarda en llegar, o simplemente no es lo que esperabas. Dios nunca llega tarde, siempre llega a tiempo. "Podemos hacer nuestros propios planes, pero la respuesta viene del Señor". Prov. 16:1

Así mismo, quiero dedicar esta obra de manera muy especial, *a mujeres reales como tú.* Que, aunque hayan tenido que ser probadas en la fe en diferentes circunstancias de la vida; decidieron creerle a Dios y esperar en él, mientras se dedicaban a ayudar a levantar e impactar a otras mujeres. Ellas son: Elena Saviñón, Gladys Benzant Ramírez, Eladia Mercedes, Carmen Pimentel, Verónica Reyes, Pastora María Camacho, Pastora Teresa Vásquez, Pastora Juana Oviedo y Pastora Margarita Santos. "Mujeres que han llenado mi tanque de amor" en algún momento.

Aunque estas mujeres han tenido que mantenerse en pie en contextos y acontecimientos muy diversos y distintos como: pérdida repentina de seres amados, conflictos legales inesperados, enfermedades, abusos domésticos, abandono, rechazo, discriminación, injusticia y abuso de poder; *La Fe*, se convirtió en el combustible esencial para impulsarlas a *trascender el miedo*.

AGRADECIMIENTOS

A Dios por su infinito amor.

A mi amado Bolívar Francisco Suero; esposo paciente y tolerante, de poco hablar, pero con alto sentido de escucha, soporte, y amigo, por apoyarme en mis proyectos y en todo siempre.

A mis hijos; por ser una fuente inagotable de amor para mi vida. Alondra Concepción Peralta, por darme el regalo de ser mamá por primera vez y cambiar mi vida para siempre. A Bolívar Isaac Suero, por ser un crítico respetuoso y entusiasta de mis proyectos. A Ruth Esther Suero, por tener su creatividad siempre a mi disposición con total entrega.

A Doña Rosa Ariza de Valera, por asentar su disposición, experiencia y sensibilidad para trabajar con las familias, al leer e interpretar cuidadosamente cada detalle de este proyecto.

A Keila González Báez y al programa A90D, por guiarme a tomar herramientas eficaces para emprender esta nueva temporada de mi vida con las que pude plasmar en mi primer libro todo aquello que anhelé compartir.

PRÓLOGO

Creo mucho en la relación que guarda el nombre de las personas con algunas de sus actuaciones en la vida. Aquí un caso que confirma mi creencia:

· Angélica, significa parecida a los ángeles.

· Leoncia, fiera como león.

· Peralta, peña alta.

Y encontramos que la obra "Mujer, trasciende el miedo" es el producto de la combinación de esos significados.

La obra se inscribe en un realismo puro que deviene en realismo social, porque la autora describe su vida, con el candor de un ángel, la valentía de un león, que lucha hasta vencer y elevarse a la peña más alta y lo hace con detalles de una realidad que estremece y cuestiona la dinámica familiar.

Es una representación objetiva de los abusos a los que se tiene que enfrentar una mujer cuando su entorno social la acorrala y solo logra salir a partir de una fuerza interior suprema.

Esta obra ha de ser lectura obligada en cada familia, estudiada y comentada entre amigos porque es la llave que abre la cerradura del miedo. Ha de ser lectura en salones de clases y tema de discusión en paneles estudiantiles a fin de sensibilizar a las niñas frente a su autodefensa, autovaloración y fortalecer la comunicación con quien escuche. Sensibilizar a los niños frente a su responsabilidad, amor propio, amor a la vida, a ver la vida como la ve Dios.

La obra permitirá que muchas niñas, mujeres, niños y hombres rompan el silencio, saquen sus miedos y paren los abusos.

Rosa Ariza de Valera

Especialista en Educación Inicial y Familias

Autora de Educando en Versos

INTRODUCCIÓN

Conforme pasan los años nos encontramos con una serie de documentales que tratan sobre la mujer, la sociedad y la cultura en la que estas crecen. En ocasiones, la información que recibimos desde los diferentes medios de comunicación pasa a ser un archivo frío que yace en nuestras mentes. Algo que revive solo cuando acontece una tragedia. Esto va generando una sub- estadística que solo conocemos las mujeres que la hemos vivido desde adentro del escenario familiar.

Muchas mujeres se encuentran acomodadas al abuso a una forma tal, que cuando sus esposos, novios o parejas las amenazan, les hablan groserías y las ofenden, ellas creen que se lo merecen por hacerlos enojar.

Una mujer no es abusada solo cuando se trata de "abuso sexual", también es abusada cuando es oprimida en lo económico, cuando el hombre teniendo posibilidades, la hace pasar calamidades solo para subyugarla. Es abusada cuando solo se hace lo que diga el esposo y no es tomada en cuenta para las decisiones importantes en la familia, es abusada cuando ambos trabajan duro para sostener el hogar pero en la casa solo puede descansar el hombre. Es abusada cuando solo puede hablar con libertad si el esposo está ausente porque constantemente la humilla delante de sus amistades y familiares. El abuso puede estar disfrazado o tapado por las mismas mujeres, pero no por esto, dejará de ser abuso.

Formar un matrimonio no es cosa de niños. Cuando decides unirte a una persona para tener la familia que anhelaste, desde antes, tienes que soñar con el padre o la madre que quieres ser para los hijos-as que logres tener. Un padre o una madre que arrastra las heridas de su infancia, todavía no cicatrizadas en su edad adulta, tendrá una tarea difícil para criar hijos emocionalmente saludables, pues aunque sea de manera inconsciente, entregará a sus hijos el amor mutilado que recibió de sus progenitores o quienes le criaron.

¡Pero hay esperanzas mujer! En la biblia encontrarás múltiples ocasiones en las que nos afirman que Dios puede cuidar de nosotras cuando le necesitamos; como dice esta porción de La Palabra "Echando toda vuestra ansiedad sobre él, porque él tiene cuidado de vosotros." 1 era Pedro 5:7

Mujer, trasciende el miedo, más que un libro es una invitación a la reflexión y a conocer desde "primera fila" una realidad social que toma vida desde la parte más íntima de la familia, el hogar.

Luego de disfrutar la libertad que viene de perdonar a quienes me hayan herido en la infancia y la juventud, Dios ha permitido que pueda escribir y compartir esta experiencia sanadora con las mujeres, las jóvenes y las comunidades que trabajan para fortalecer la familia como núcleo fundamental de la sociedad, a fin de que podamos promover vínculos fuertes y sanos de convivencia en el hogar.

CAPÍTULO I

Infancia turbulenta y una adolescencia genial

¡Trasfondo familiar, algo que no puedes elegir!

Cuando nacemos, Dios ya ha planeado con antelación de dónde vendrá nuestro ADN, y por supuesto, el seno familiar donde tendremos nuestra primera experiencia de vida. Por difícil que te parezca, sí, aunque no comprendamos porqué nos tocó nacer en aquellas circunstancias, allí está la esencia de tu propósito de vida.

Mi padre, siendo un hombre de veinte años, nunca perdonó haber nacido de un anciano casado de setenta y cuatro años y una mujer campesina de menos de treinta, que le dejaría huérfano con menos de nueve años. Mi madre, hija de un albañil y una ama de casa criada a la antigua, con las creencias de que la mujer solo puede y debe trabajar en casa. Algo con lo que nunca se identificó, pues ser independiente económicamente y productiva son sus primeros indicios de responsabilidad desde que decidió convertirse en esposa. Siendo todavía menor, conformó un hogar en el que tuvieron dos hijos cuando apenas tenía 17 años, mi hermano que es el mayor y yo que tengo una diferencia de un año con él.

El carácter de mi padre era muy explosivo para entonces, se enojaba con facilidad y en muchas ocasiones fue muy violento con mi madre. Tenía cierto complejo de superioridad acompañado de mucho rechazo. Aunque mi madre mantenía un comportamiento salvaje, brusco y en alerta como manera de defenderse de los ataques violentos, en la mayoría de las ocasiones él le terminaba dando una paliza porque su fuerza no se comparaba a la de ella.

Constantemente mi padre la minimizaba y la hacía sentir inferior, fea y poco merecedora de él. Se sentía importante cuando la ridiculizaba frente a los amigos y familiares de ambos. Sin embargo, mostraba actitudes de celos posesivos que, según él, era por el inmenso amor hacia ella.

A pesar de la diferencia de ideales, creencias y costumbres, mis padres siempre afirmaron amarse. Mi padre era reconocido como un músico nato desde su infancia, pero cuando le llegó el momento de formar un hogar repentinamente, tuvo dificultades para continuar sus sueños con la música a plenitud, pues se debatía entre sus conflictos internos de personalidad y la realidad que se acercaba de ser "papá". Una situación que hizo a la pareja volverse creativos para comenzar con un comercio propio, decidieron abrir un "colmadito pequeño" que surtía de productos a la localidad cercana de la casa.

Me cuentan los mayores de mi familia, que el día que nací de forma inesperada fue producto de una de las peleas más salvajes de mis padres dentro del colmado que tenía la familia. Dicen que llegó un niño pidiendo un refresco a puros gritos, la insistencia del niño llevó a mis padres a pelearse porque ninguno quería pararse a servirle al exigente cliente. La discusión de a quién le tocaba atender encendió los ánimos a tal punto que mi padre haló por los cabellos a mi madre sin importar que gestaba su último mes de embarazo. La arrastró un buen rato, mientras él la sometía hacia abajo como intentando meterle la cabeza en el refrigerador, ella tiró manos a ciegas buscando con qué defenderse de la agresión, hasta que encontró una botella de vidrio vacía que reposaba en el piso en un huacal. Con el fondo de la botella se defendió dándole múltiples cantazos hasta que mi padre reaccionara por dolor y la soltara. En la revuelta tuvieron que intervenir los familiares de ambos que vivían cerca y los vecinos, quienes ayudaron a cerrar el comercio abruptamente para llevarlos a recibir asistencia médica a ambos por separado.

Los familiares de mi padre le llevaron a revisar la pierna, que, aunque no presentó cortadura, tenía una visible inflamación y un dolor que iba en aumento luego de parar la pelea. La rebeldía, la ira y los nervios mientras esperaba su turno en el hospital hizo que se marchara a la casa sin esperar los resultados de Rayos X (placa). Se marchó cojeando a la casa y soportando dolor "como todo un macho" según él.

Por otro lado, mis abuelos acompañaron a mi madre en apuros, pues la labor de parto había empezado antes de lo previsto por los médicos. El hospital asumió realizar una cesárea de emergencia porque después de este evento, ya no se podría esperar las semanas restantes. Ese fue el día en el que Dios estableció que yo naciera.

Al día siguiente, mi padre amaneció arrastrándose del dolor, pero aparentando que todo estaba bajo control, sin embargo, terminó volviendo al hospital a buscar los resultados de su chequeo y se encontró con que la tunda de botellazos recibidos le había lesionado el peroné, por lo que procedieron a inmovilizarle la pierna con un yeso durante veintiún días. Se fue a la casa a esperar noticias de su mujer (mi madre), vendiendo la imagen de "pobrecito hombre" golpeado por su mujer. A los tres días del incidente llegó mi madre a la casa, pero sin niña en los brazos -es decir, sin mi- y muy triste. Los médicos decidieron dejarme en observación debido a que nací con muy bajo peso: "tres libras y media aproximadamente" según indica mi madre. Con un estado de desnutrición que producía espanto a los ojos de las personas. Ver llegar a mi madre sin criatura en brazos consternó a ambos y lloraron juntos por muchos días. Mi madre, como pudo, se las ingeniaba para que la llevaran a verme, refiriéndose a mi como "su niña con carita de muñequita flaca y ojos vivaces, a la que el llanto le sonaba como un gatito bebé". Algunas visitas la hacían llorar, por miedo a que no lograra sobrevivir, debido a la fragilidad física tan evidente con la que nací. Pasaron varias semanas para que pudiera al fin llegar al hogar de mis padres y mi hermano mayor.

Mi padre se volvía como loco de amor por sus hijos, pero al parecer solo podía hacerlo de manera verbal, por lo que todo quedaba solo en palabras y apariencias. El hogar continuaba siendo muy feliz para ojos de la gente, pero la realidad era otra. Mi padre, un eterno abusador lleno de auto conmiseración, y mi madre, una mujer sumisa que por dentro tenía bien definido lo que quería ser en la vida, pues aun siendo madre y menor de edad, continúo cursando la escuela y soñando en convertirse en una profesional y gran comerciante.

Aunque mis parientes me hicieron conocer que la historia de violencia de mis padres viene desde antes de que yo naciera, aquellas circunstancias y diferencias entre ellos, nunca impidieron que amara a mi padre con locura. Siempre digo que fue mi primer amor, aunque efímero, guardo los mejores recuerdos de mi músico, poeta y loco, como lo llamo. Y a la mujer que me enseñó a avanzar, aunque el camino se ponga malo: mi madre. La historia de amor y odio de mis padres llegó a su fin a mis cortos seis años. Al mismo tiempo, comenzaba a deteriorarse mi existencia al no comprender por qué no se lograba arreglar la situación entre ellos, aun cuando lo anhelaba de todo corazón y le suplicaba a mi padre en secreto, que no nos abandonara, a lo que siempre decía "es que tu mamá y yo no nos comprendemos ya".

Mis padres hicieron algunos intentos por restaurar su matrimonio, pero ninguno funcionó. El primero en montar tienda aparte fue mi papá, cuando se casó de velo y corona con una maestra conocida de la familia. Luego siguió mi madre, buscó una persona con la que formó un hogar, que solo duró unos meses. Fue una relación tormentosa porque, aunque este primer padrastro nos trataba bien a mí y a mi hermano, cuando se emborrachaba era como un loco desenfrenado, además de celoso y muy violento con mi mamá.

Cuando esa relación terminó, volvimos a vivir solos con mi madre por un tiempo. Mi padre hacía ligeras apariciones como todo un "padrote" queriendo exigir en la casa que ya no vivía ni sustentaba con nada. Mi madre tuvo que trabajar duro como niñera, lavandera, y hasta como vendedora de frituras, para cubrir los gastos de la casa y continuar estudiando, para convertirse en maestra. Durante un tiempo, la situación se le puso tan difícil a mi madre, que tuvo que dejarnos viviendo con unos familiares para asumir un trabajo doméstico donde debía quedarse a dormir y solo podía visitarnos algunos fines de semana, cuando le daban el día libre.

En todo este tiempo mi padre jamás apareció por la casa para saber de nosotros. Recuerdo que a mí me tocó quedarme en la casa de mi abuelito materno, un viejito amoroso que me cuidaba y consentía en todo, pero nada me hacía feliz, porque lloraba cada vez que pensaba en mi familia, que no podía ver al levantarme. Mi hermano mayor no tuvo la misma fortuna, él tuvo que rodar de casa en casa, desde familiares, hasta de algunos vecinos y amigos.

Pero este proceso se le hizo un poco pesado a mi madre, porque cada vez que había que separarnos de nuevo, los gritos desesperados que dábamos mi hermano y yo por no volver a las casas ajenas le partían el corazón. Por lo que tomó la determinación de poner un negocio en la casa. Compró una máquina Regina de las antiguas y compraba los sacos vacíos de harina blanca en el mercado, los cortaba a la mitad y nos enseñó a sacudirle la harina para ella confeccionar sábanas blancas, que luego la acompañábamos a vender por los barrios aledaños al nuestro. ¡Al fin! ya podíamos estar con nuestra madre todo el día y eso nos hacía felices.

Ya a mis diez años, mi madre tuvo la oportunidad de elegir otro padrastro para nosotros. De esta relación nació mi hermana más pequeña. El papá de mi hermanita menor solo mantuvo la relación por unos dos años como concubino de mi madre. Aunque no me agradaba la idea de ver un nuevo papá, este fue uno de los padrastros que nos trató con más respeto a mis hermanos y a mí. No obstante, tengo la certeza de que sí maltrató de alguna manera a mi mamá, por ser tan mujeriego. Este caballero no mostraba muchas señales de afecto porque siempre era muy callado y solitario, pero nos hacía sentir seguros porque en la casa ya no había problemas de violencia física ni verbal. Se preocupaba por las necesidades de los tres como si todos fuésemos sus hijos y esto nos hacía sentir en familia otra vez.

Sin embargo, en poco tiempo mi madre volvió a obtener su antiguo título de "madre soltera", pero ahora con tres hijos por los cuales seguir velando. De este padrastro guardo los recuerdos de un padre atento, pues, aunque se marchó muy pronto siempre estuvo pendiente de dar soporte económico para apoyar a mi madre con la manutención del hogar en todo.

Luego de esta experiencia, mi madre decidió darse un tiempo para volver a intentar enlazar su vida sentimental una vez más. Se quedó por unos años completando sus estudios, trabajando afanosamente como siempre, velando porque tuviésemos oportunidades para el futuro. Trabajaba como maestra y al mismo tiempo seguía con su fábrica casera de sábanas y colchas, pero ya a otro nivel; con máquinas industriales y otros medios más sofisticados de la industria. Mi hermano mayor y yo le dábamos ayuda en el taller para hacer las entregas de los pedidos, que cada vez eran mayores. Sin embargo, esta fábrica fue menguando conforme ella fue asumiendo más compromisos laborales de su carrera como docente. Hasta que un día decidió, trabajar únicamente en las escuelas por la demanda de tiempo que este trabajo requería.

Si tengo casi 15 años, ¿por qué me orino en la cama?

Como parte de la supervivencia aprendida desde pequeña, tuve una increíble oportunidad de ir desarrollando distintas habilidades, aprendí a cocinar desde los diez años, a peinarme sola, a buscar soluciones a lo que se me fuera presentando en el día a día dentro de la casa.

Mi madre me fue haciendo responsable de la casa poco a poco mientras ella ocupaba distintas plazas laborales para mantenernos.

Mi padre jamás dio la cara por nosotros desde que nos abandonó, aunque hizo algunas apariciones mostrando ataques de celos hacia mi madre, aun cuando ya él se había casado con otra persona. Cuando mi mamá decidió cerrar su vida totalmente para él, por más que le buscamos, nunca nos ayudó con nada mientras crecíamos, fue doloroso, pero lo seguí amando como el primer día y ni siquiera sé por qué lo amaba tanto, tal vez por los recuerdos hermosos de cuando él me cantaba al oído o me decía poesías inventadas para solo para mí en la infancia.

Podía resolver casi todos mis problemas sola, pero había uno que no lograba quitarme de encima: el orinarme en la cama. Mi adolescencia iba en marcha, soñaba con una fiesta de quince años, pero me daba pesadillas saber que cada día tenía que levantarme y recoger mis sábanas mal olientes antes que mi hermano mayor se levantara y viera mis miserias.

Una adolescencia genial era la que "aparentemente" vivía para quienes me rodeaban. En los grupos de mi edad siempre tenía un chiste nuevo para hacer, me consideraban divertida y alegre. Aunque en ocasiones podía ser muy cruel y violenta verbalmente con mis amigas y amigos, había desarrollado una capacidad increíble de buscar la reconciliación con ellos para mantener a salvo la relación de amistad. Estoy consciente de que, a pesar de mi carácter rebelde, Dios había puesto en mí una gracia para lidiar con la gente.

Durante la larga travesía de orinarme en la cama, el miedo invadió mi espacio. La burla de mi hermano mayor y mis primos cercanos me consumía, los regaños desastrosos que a veces mi madre me hacía para que ya dejara de hacerlo, me hacían sentir como metida en un hueco profundo y oscuro del que jamás podría salir. Ya casi al cumplir mis quince años mi madre empezó a llevarme a terapias psicológicas para intentar conocer algún tipo de ayuda que diera fin a este desafortunado evento de terror con el que tenía que dormir cada noche. Las terapias ayudaron en algo, a descubrir que si dejaba de cenar con líquidos ya no volvería a pasar.

Recuerdo la pregunta de la psicóloga: "¿sientes que tu mami no te quiere?" Me reí por dentro. Más tarde me reí con mis amigas emulando a la inocente psicóloga, que decía que yo no tenía ningún problema, según le dijo a mi madre cuando salimos del consultorio. Recuerdo sus palabras: −Esa muchacha no tiene problemas, solo deje de darle líquidos de noche −afirmó.

Comencé con la recomendación de la especialista y en unos meses terminó la pesadilla de amanecer mojada. Dejé de orinarme en la cama unos meses antes de cumplir mis quince años, pero es muy seguro que lo que provocaba tal situación todavía estaba dentro de mi ser. En mi interior, sentía todo lo que aquella psicóloga había preguntado, pero tuve miedo de que mi madre tomara represalias por esta causa; tuve miedo de parecer débil frente a la doctora y a la gente. Sí, sentía que no me amaban, porque estaba prohibido para mi subir a la cama de mi madre desde pequeña por este problema, también tenía envidia de mi hermano mayor que siempre tuvo privilegios en la habitación de mi madre y sí, me dolía cuando mi madre por rabia o desesperación me denunciaba con sus amigas diciéndoles que mojaba todos los días mi cama aún con casi quince años. Decidí ocultar mis verdaderos sentimientos para hacerme ver más fuerte y que yo podía hacerlo todo sola, como acostumbraba desde niña. Me orinaba en la cama, pero tenía que ser la señora de la casa mientras mi madre trabajaba. Hacer todos los quehaceres domésticos porque a los varones no les correspondía ese tipo de trabajo por obligación. A mis trece años, puse mi primer negocio de vender helados en casa, rallaba coco por horas para llenar el refrigerador bien temprano. Luego agregué la venta de dulces, palomitas de maíz, gelatina entre otras cosas del gusto de los niños de ese entonces. Siempre tenía ahorros para comprar cualquier cosa que deseara en la escuela. Las ventas tuve que dejarlas en los años en los que casi terminaba la secundaria, pues no tenía suficientes habilidades para llevar a cabo las labores domésticas y los estudios al mismo tiempo que un negocio. Algo dentro de mí gritaba en alta voz que algún día tendría que ser independiente en la vida. El manejar dinero desde esa edad me hacía sentir que tenía el control de alguna manera, aunque no tuviera en realidad.

Hacía muchos planes en mi mente y uno de ellos era estudiar y tener una familia con hijos, eso sí, que Dios solo me diera hijas porque "los varones eran malos", según pensaba de niña. Esto era lo que me decía en mi interior, producto de la creencia y el modelo de crianza de mis padres, de que el varón no es de la casa, sino la hembra, esto, cotejado del historial que había vivido con mi padre, al cual amaba con locura, pero siempre estuve consciente de que no hizo nada por la familia.

Ya no quiero otro padre.

El Dr. José Dunker Lamber, en su libro *Cómo criar bien a los hijos sin destruir el matrimonio*, describe unos diez hábitos para aprender en la casa; siendo este el primero: *El sentido de pertenencia*, que significa sentirse parte y que uno le duele a alguien. Que, si uno sufre, alguien sufre, que, si uno triunfa, alguien lo va a celebrar. Implica sentido de lealtad de los miembros de una familia. Enfatiza también que, sin estas experiencias el adolescente podría estar expuesto a todos los vientos malos que soplen a su alrededor en la sociedad.

Con la llegada de cada padre sustituto en mi vida, conforme iba creciendo estaba perdiendo el sentido de pertenencia, tal como lo cita el Dr. Dunker, ya no estaba segura de importarle a alguien en mi familia, pues sentía que cada miembro de la familia vivía dentro de su propia burbuja, todos ocupados en resolver sus propias situaciones.

Conforme pasó el tiempo, mi madre se convirtió en maestra, pero en su vida paralela también se sumergió en el alcohol y sin darse cuenta empezó a arrastrarnos con sutileza en nuestra adolescencia a este mundo de adicción a las bebidas. Cada vez que en la casa empezaba el ritmo de las bebidas mi madre nos decía:

—Ve donde el viejo del colmadito y dile que me mande diez cervezas.

Casi siempre nos tomábamos par de tragos en el camino y unos cuantos a escondidas a un lado del refrigerador. Mi madre, cuando ya estaba muy ebria a veces dejaba algunas cervezas que nosotros bebíamos libremente porque ya nadie nos supervisaba. La conversación que recuerdo que mi madre siempre sostenía con nosotros cuando ya no podía levantarse de la silla era la siguiente:

— ¿Tú me quieres? —preguntaba.

—Sí —respondíamos.

Se ponía a llorar por largos ratos y terminábamos llorando todos a puertas cerradas en la sala de la casa. Nosotros, los adolescentes de la familia también nos embriagábamos, pero la crisis siempre la pasamos a solas en nuestras camas. Así comenzamos a tomar todos los fines de semana en la casa y luego se tomaba casi a diario en la noche, cuando mi madre venía del trabajo.

La historia cambia de rumbo cuando mi madre decide poner fin a su soledad y se casa con velo y corona con el que sería ya mi tercer padrastro, no la culpo por esto, sin embargo, me dolía mucho estar experimentando de tiempo en tiempo un supuesto papá nuevo. Pero lo que más me dolía, era ser testigo de la tristeza que acompañaba a mi madre todo el tiempo. Ella no se veía feliz porque, aunque trate de ocultarlo, ninguno de los esposos ha sido lo que ella esperaba. En medio de cada pelea conyugal pude notar que mi madre se sentía desdichada. Mi creencia era que le habían tocado los caballeros más mujeriegos de la tierra o que mi madre se pasaba de sumisa.

Mi mente se negaba profundamente a compartir mi espacio familiar con otra figura paterna, pero los hijos siempre quieren ver a su madre feliz, aunque con esto pierdan la felicidad de ellos mismos. Siempre he amado profundamente a mi madre por la admiración que me ocasiona desde mi niñez, es mi heroína de mujer afanada y esforzada, aunque en mi primera infancia era más apegada a mi padre y prefería buscar su calor y mimos en todo momento porque era muy cariñoso conmigo.

Un hombre muy gruñón, pesado y mal educado llegó a mi casa para ocupar el puesto de papá en la tercera ocasión. Me encontró hecha una fiera, malcriada, violenta e iracunda pero muy callada. Al principio se disfrazaba de dulce, pero en muy pocos días fuimos descubriendo un personaje resentido, exageradamente mujeriego, con aires de gran señor. Era un militar de bajo rango que se sentía superior. Humillaba sin piedad a todo el que consideraba que estaba por debajo de él. Con este ser entendí que ya no tenía escapatoria de un nuevo padre en la casa. Mi madre, cada vez más sumisa y enamorada se hacía la de la vista gorda para ignorar los maltratos verbales feroces del nuevo miembro de la familia. Mi hermano mayor tenía fuertes encontronazos porque el padrastro nuevo le robaba el trono que ocupaba cada vez que mi madre estaba soltera. Todo esto lo presenciábamos junto con mi hermana de cinco años, hija del segundo padrastro. Ya éramos tres los hijos abandonados por los padres como pasa con mucha frecuencia en nuestro país.

Para mantener mi mente lo más alejada posible de aceptar al nuevo padre, me fui entrando lenta y peligrosamente en un alcoholismo juvenil que mi familia veía como normal. Solo quería que el mundo se enterara de que ya no quería un nuevo padre y que no lo aceptaría jamás, aunque viviera bajo el mismo techo.

Ver a mi madre llorar por los abusos verbales y malos tratos del mujeriego nuevo papá, solo fue creando dentro de mí, la mujer que no quería ser cuando creciera. Por dentro siempre me decía, si me toca lidiar con un hombre como ese le arranco la cabeza porque nadie va a abusar de mí.

Había mañanas que amanecía pensando en salir caminando hasta perderme para siempre y no volver a ese infierno de casa. Culpaba a mi padre constantemente por habernos abandonado, a mi madre por buscarnos un papá malo, a mi hermano mayor por dejarme sola con todos los quehaceres domésticos, en fin, tuve días que llegué hasta odiar a los hombres e incluso a la vida misma.

CAPITULO II

Enamorada hasta los tuétanos

Anhelo tu aprobación.

Construir la vida de los cuentos de hadas, donde las princesas de Disney encuentran su príncipe azul para mí, más que una utopía era una locura, sin embargo, la vida tenía planes diferentes a los míos.

"Procura con diligencia presentarte a Dios aprobado, como obrero que no tiene de qué avergonzarse, que usa bien la palabra de verdad". 2da. Tim. 2.15 Aunque La Palabra, dice claramente que es delante de Dios que debemos procurar estar aprobados, a mis dieciséis años todavía no alcanzaba a conocer esta verdad tan poderosa.

En muchas ocasiones los adolescentes aparentan ir madurando frente a la realidad de la familia que les tocó tener. Creo que era mi caso. A menudo me dejaba ver como la chica madura que cuenta con la aprobación y afirmación de sus padres para la toma de decisiones. Sin embargo, estoy segura de que solo eran puras apariencias. En mi interior, peleaba la peor de todas las batallas, sin la menor idea de cómo vencer al enemigo, el cual era yo misma, que por no aceptar mi realidad y transformarla, prefería vivir en la constante queja.

Crecer en medio de personajes con exagerada autoestima y egocentristas como mi padre, otros con una identidad mutilada como mi madre, entre uno que otros padrastros, expertos en el "ninguneo" y en el "aquí mando yo", me fue llevando sin darme cuenta a buscar en alguien que al fin me hiciera sentir aprobada en cualquier cosa. De alguna manera, enamorarme por primera vez hizo que mi percepción de que los hombres son unos "buenos para nada" comenzara a variar. Buscaba incansablemente ser el pendiente de alguien, lo importante de alguien, pero no de la manera que lo había aprendido en mi casa, sino de la manera probablemente errada que traía dentro de mí. Siempre les decía a mis amigas:

"escucha esto; cuando me case no dejaré que mi esposo me tenga tirada en la casa como trapo viejo o como su simple cocinera". Hasta hoy creo que estaba equivocada porque no hay nada que me produzca más placer que cocinar para mi familia cuando puedo hacerlo.

Protegida como lo había soñado.

En la Semana Santa del 1988 me inscribí en un retiro para jóvenes que hacía la iglesia católica cercana a mi casa.

Allí comenzó una relación de amistad con un joven de mi sector. El retiro era de tres días y cada mañana pasaba a buscarme para irnos juntos. En todo el camino este joven iba diciendo solo aquellas palabras que yo quería escuchar como: –¿Tienes novio? –Casi no me dejaba responder a nada y seguía como si tuviera prisa.

–Nunca he tenido novio –le dije.

El joven no creía que, a mi edad, yo todavía no hubiese tenido ningún novio. Podía ver en sus ojos el brillo de una mirada enamorada. Desde el primer día del retiro este joven me había pedido algo de una manera hasta divertida y romántica:

–Mira, detente aquí en este árbol un ratito –me dijo.

Y con un enredo de palabras que susurró muy bajito–¿Quieres ser mi novia? –

Mi corazón saltaba de emoción y la alegría se me notaba mucho, pero le contesté muy altanera: –me caes bien, pero déjame pensarlo.

Por dentro me moría por decir que sí, pero dejé la respuesta para el tercer y último día de la actividad. Cuando concluyó el retiro nos encontramos en el mismo árbol y esperamos que pasara el grupo de jóvenes para estar solos un rato. Solo lo preguntó una vez más y casi no le dejé terminar cuando ya le estaba diciendo: –¡Claro que sí, quiero ser tu novia! y estampamos el inicio de la relación con el más dulce beso que jamás haya compartido en mi vida. Recuerdo que casi no dormí esa noche pensando en la condición que le había puesto: "que nadie supiera" hasta no ponernos de acuerdo en informarlo a todos. Aunque creíamos que era un secreto, mi madre era la primera que nos observaba siempre con mirada sospechosa como asintiendo que ya sabía algo.

En el segundo año de la relación con el adorado novio, en el que celebrábamos mis diecisiete años, el joven enamorado se llenó de valor para hablar con mi madre y decirle que quería formar una relación seria conmigo. Mi madre, con un carácter seco y tosco le paró de golpe sus intenciones y le dijo:

–Mire joven, solo le haré una pregunta para ver si puede ser novio de mi hija y de ahí en adelante hablamos. ¿Se quiere casar usted con mi hija en el futuro no muy lejano?

El novio se quedó absorto y sin palabras. Mi madre al ver esta actitud enseguida le respondió:

–Bueno, caballero, cuando tenga planes en la vida entonces vuelve y hace esa petición. No tiene sentido hacer noviazgo sin saber para qué lo formamos –replicó mi madre.

Me quedé muy enojada con el supuesto novio que hasta ese día era a escondidas. Me produjo una rabia el verlo sin defensas frente a mi madre. Quedé un poco confusa y le pedí explicaciones en privado de por qué no supo responder, a lo que me dijo:

–Es que me asusté cuando tu mamá me presionó con su mirada al hablarme y no supe qué decir, pero igual te amo –repitió varias veces.

Él se hacía ver como un humilde joven al que casi no se le escuchaba la voz. Era de ocupación artesano de cerámica y barro y tenía un romance muy profundo con las bebidas alcohólicas al igual que yo. No mantenía planes de futuro con nada, aunque ya había concluido la secundaria como yo. No era tema de su atención seguir estudiando, la realidad es que se trataba de un joven muy mezquino, mujeriego y sin iniciativas. Hoy en día, todavía no logro entender cómo lograba hacer que me sintiera tan segura a su lado, siendo él tan dependiente de su madre para la toma de decisiones. En lo más profundo de mi corazón una alerta se disparaba algunas veces, me advertía que este hombre en realidad no tenía planes de vida para él y mucho menos para mí, pero eso no me importaba. ¡Caramba!, estaba enamorada.

Al fin me convertí en mayor de edad, tenía a mi lado a alguien que me hacía sentir especial para él. Ya conocía un poco más sobre él. Era posesivo, un poco violento y amenazante, sin embargo, me hacía sentir segura y protegida por el momento.

¡Por fin! ¿Feliz para siempre?

Las madres siempre quieren para sus hijas ese príncipe azul que posiblemente ni ellas tuvieron en sus vidas. En el historial de mi familia, desconozco de ese hombre modelo que todas las madres tenemos de alguna manera en la mente para nuestras hijas. A casi todas les tocó tener el segundo o tercer esposo. Patrones generacionales de familia que podríamos conversar tal vez en mi siguiente libro. Pero algo que olvidan las madres es que cada una tendrá que vivir su propia vida y experiencia de amor.

Toda una mujer grandota, siempre al lado de su primer amor, así me sentía cada día que transcurría, ya no me importaba el rechazo de mi madre hacia el hombre del cual me había enamorado locamente.

En el camino se fue quedando la niña asustada y callada, la adolescente rebelde y malcriada. Cada día este hombre se quedaba con una parte de mí. Recuerdo la primera vez que me llevó a la cama, me juró que todo saldría bien y que jamás me abandonaría por nada del mundo. Me faltaban unos meses para cumplir mis dieciocho años y eso me hacía sentir culpable, pues ya me habían puesto el chip de que había que llegar virgen al altar. Si al menos alguien me hubiese explicado este principio por medio de la palabra de Dios, es muy posible que lo comprendiera y lo asumiera, sin embargo, en ese momento solo lo veía como una imposición cultural más, la cual solo se les exige a las hijas que queremos tener subyugadas en casa.

Las hijas y los hijos deben ser criados con ejemplos antes que con palabras. Como madre cristiana, hoy día trato de hacer más y decir menos porque nuestros hechos delante de los hijos siempre tendrán más peso que cualquier charla sicológica o religiosa. Si enseñamos que la mentira no es buena, la mejor manera de enseñarlo es diciendo la verdad constantemente frente a nuestros hijos.

Así llegué a mis veinte años y fue cuando comencé a pensar en formar un hogar, algo que al parecer no estaba en la mente de quien me había hecho sentir la mujer más segura del mundo. Aquello de que al fin ya sería feliz por siempre, estaba por convertirse en el principio de la peor pesadilla que puede tener una mujer hambrienta de amor, que se enamora sin límites y sin medir consecuencias.

Amor propio herido de muerte.

Con pesar inmenso tengo que entrar a este portal de vergüenza y rechazo de mi vida. Y con esto, insistir en que la vida de los hijos e hijas que Dios nos permite tener siempre estarán salpicadas de nuestros prejuicios, costumbres, y creencias, pero no por esto olvidemos también llenarlos de amor, confianza, respeto, empatía y sobre todo, de patrones tangibles de convivencia sana, independientemente de la religión que profese la familia. Aparte de enseñarles que "Dios existe" en la forma como se lo enseñaron sus antecesores, ¿por qué no enseñarles a creer y a relacionarse con Dios como el padre que es?

Cuando exijamos a nuestras hijas un modelo de vida, procuremos al menos en su presente estarlo haciendo igual, así esa hija no crecerá con los "erróneos preceptos" de su ideal vida pasada. Cuando una joven está perdidamente enamorada, en lo menos que piensa es en consejos de nadie, ni de amigas, ni de madres, absolutamente de nadie. Es justo lo que hice con el "amor de mi vida" de ese entonces, me entregué a él todas las veces que quisimos. Pero ¿y él? ¿Se entregaba igual desde lo más profundo de su ser? Bueno, creo que no, y me lo demostró un día que le hice una sencilla pregunta: ¿cuándo nos casaremos tú y yo? Esta pregunta cambió mi vida para siempre.

En mi familia estábamos invitados a la boda de una prima mayor que yo. Aprovechando que en esos días en la familia se hablaba mucho sobre el matrimonio, hablé con mi supuesto príncipe azul sobre si nuestra fecha estaría próxima. Aunque según él, no teníamos el tiempo suficiente para conocernos y planear algo tan importante como casarse, para mí que le conocía desde el segundo año de la secundaria, ya en mi mente creía que el tiempo era suficiente, además tenía la carga de que mi boda debería ser con este hombre, primero porque nos amábamos y segundo porque ya nadie se casaría conmigo por no ser "virgen", conforme a mis propias conclusiones. Un tremendo conflicto en la mente y el corazón me asaltaba a cada instante. La respuesta fría y calculada que recibí de mi amado fue la siguiente:

–No me quiero casar por ahora.

Quedé triste, pero lo que congeló mis sentimientos fue cuando me dijo:

–Mira no te acompaño a la boda de tu prima porque no quiero que me hables más de boda y además porque no me quiero casar contigo. –Mis manos temblaron solo de escuchar la razón que me dio al final de todo.

–Vete sola a la boda de tu prima. Te explico por qué no me quiero casar contigo. Porque tú no eras ninguna virgen cuando tuvimos relaciones sexuales –me gritó ya en tono medio enfadado.

Mi pequeño mundo se había derrumbado esa noche. Aquel hombre que pensaba era mi protector, me estaba afirmando que yo no tenía el valor que él en su pequeñita mente creía debía tener.

Llegó el día de la boda de mi prima. Había llorado días y días. Me sentía el ser más sucio y asqueroso del planeta por haberme acostado tantas veces con alguien que juraba amarme, mi primer amor, el primer hombre que tocaba mi cuerpo. Recuerdo que salí vestida de blanco con un traje que tomé prestado de una vecina pues mi madre insistía en que, aunque sea un vestido debía regalarme ese novio y tener el gesto de acompañarme a esa fiesta. Nunca llegué a la dichosa boda, mis familiares se fueron primero y quedamos en juntarnos en el lugar, pero como mi afanado novio no quería ir conmigo por el miedo que le provocaba el tema, emprendí un viaje imposible. Salí determinada a no volver jamás a mi casa ni a ver a nadie que conociera mi vergüenza. En el camino iba pensando subirme a las piedras frente al mar que quedaban cerca de la casa de la boda, era el único pensamiento que tenía. Dentro del autobús en marcha, en mi mente me veía cayendo dentro del mar y ahogándome, imaginaba que jamás nadie encontraría mi cuerpo inerte y era justo lo que quería esa noche. Pensaba que era la solución a mi vergüenza.

El asistente del chofer del transporte que tomé me despertó como a las dos horas en el punto de control donde ya terminaba el viaje. Me había dormido de tanto que lloré en el camino. El maquillaje se había rodado, mi nariz estaba llena de fluidos que no paraban de salir. El chofer me preguntó:

– ¿Le pasa algo joven?

A lo que le dije de inmediato

–No me pasa nada, señor.

Ya eran casi las diez de la noche y empecé a caminar en las oscuras y desconocidas calles de esa zona turística donde me había dejado el autobús. Miraba grupos de jóvenes que iban a los clubes y discotecas del entorno, andaba con poco dinero y no sabía moverme en esos predios, pero no tenía miedo esta vez. Me preguntaba dónde estaba la orilla del mar, por dónde la iba a encontrar. Estaba decidida a suicidarme esa noche, pero Dios tenía otros planes, por eso permitió que me durmiera por un largo rato. Aunque la casa de la boda era visitada por mí con frecuencia desde niña, (por lo que la zona me era conocida), ya no estaba segura de nada en ese punto, ni siquiera sabía cómo volver a salir a las orillas del mar, el cual era el marco de referencia para saber cómo retornar a la casa donde se celebraba la fiesta. Pero de algo sí estaba segura: y era que ya no quería volver a ver la cara de aquel cobarde hombre, ni escuchar los reclamos de mi madre y su vieja frase "te lo dije". Corría de todos y de mí misma, pensaba que si moría acabarían todos mis problemas. Mientras más caminaba, más me rasgaba el vestido y los adornos que este traía. Estaba como loca, perdí completamente el sentido de pertenencia que me unía a alguien o alguna familia.

Pasadas las dos de la madrugada, ya con los pies pelados de caminar, sedienta y ronca de llorar, me encontré con una pareja de esposos que entraban a una discoteca. La mujer le gritó a su esposo –¡espera!, deja ver qué pasa aquí.

Me preguntaron –¿qué te ha pasado chica? ¿Por qué andas a estas horas, sola y en ese aspecto?

Mentí inmediatamente. Les dije que venía a una boda de mi prima, pero me extravié. La pareja insistía preguntando más información. Inventé que unos hombres me habían violado por unos matorrales y no encontraba el lugar de la boda a la que me dirigía. Se taparon la boca con asombro y hablaron en secreto un rato y luego me ofrecieron llevarme a su casa hasta que amaneciera.

–Haremos lo siguiente, –dijo la mujer. Te llevaremos a que esperes que amanezca en nuestra casa y en la mañana te acompañamos a la policía. ¿Aceptas?

–Sí –respondí. Estando ya en aquella casa me pidieron que me bañara si quería, que comiera algo y me dieron muchas otras atenciones.

–No tengo hambre –les dije. Solo acepté la cama para descansar cerca de la camita del hijo de la joven pareja. La señora me dijo con mucha ternura que me mantuviera tranquila, que allí estaría segura hasta que amaneciera y que temprano me llevarían al cuartel de la policía para que informara lo que había sucedido. Las pocas horas que faltaban para amanecer parecieron unos mil años para mí. Contendía conmigo misma diciéndome "eres una cobarde, porque no lograste ni siquiera desaparecer de la tierra". Como si huir de uno mismo finiquitara la historia.

Con la oscuridad de compañía, me quedé hasta el amanecer en esa casa de extraños. Preguntaron poco cuando amaneció, solo me ofrecieron un desayuno que tampoco acepté. Ya siendo como las doce del mediodía, de que los esposos durmieran unas horas, se levantaron y me llevaron a la policía. Delante de la pareja no emití casi ninguna palabra, tenía mucho miedo. Ellos explicaron su versión y simplemente les dijeron:

—Deme su nombre y número de identidad personal por si hay que contactarlos.

A los policías les dije en muy pocas palabras que salí a una boda, me extravié y me encontré con unos hombres desconocidos que me violaron. Recuerdo que delante de la pareja nunca hablé de nada con detalles, pues no sabía ni qué decir. El policía no indagó mucho con relación a lo poco explicado por mí. Solo escribió mi nombre y mi edad en una sucia libreta que tenía rodeada de vasitos de café y empanadas grasientas. Me miraron con desdén y me dijeron siéntese ahí para ver si alguien ha preguntado por usted desde anoche. Ya al finalizar la tarde del día siguiente a la boda, mi madre llegó al cuartel a buscarme. Me llevó a casa de mi tía donde se había celebrado la boda la noche anterior. En esa casa me di un baño y me prestaron ropa para cambiarme. Podía escuchar muchos murmullos en la casa y las miradas sobre mí que casi no lograba interpretar, pero me hacían sentir un poco incómoda.

Al fin logré estar con mi madre a solas. Como el culpable se declara inocente, intenté decir la misma mentira que dije a los policías del cuartel. Con una fría mirada, mi madre dejaba ver que no me creía, pero me hacía creer que sí asintiendo con la cabeza.

—Iremos al médico para conocer los daños que te hayan hecho —dijo, Refiriéndose al ginecólogo.

Algo que confirmaba que no creía mi versión, es que nunca más volvió a mencionar el evento. Pasaron algunos días hasta que visitamos a una ginecóloga.

—Si ha sido violada la trataron con mucha prudencia —dijo la doctora en un tono burlón- Y si fue más de uno, esos violadores no eran tan malos —replicó la especialista como si advirtiera de algo a mi madre. De ahí, en adelante, sentí que mi madre nunca lo creyó, pero a mí no me importaba, siempre y cuando no sintiera el acoso con el reclamo de que si era virgen o no. Mi flamante novio quiso aparentar que le había dolido la supuesta violación. Sin embargo, en los próximos meses demostró que se sentía en libertad de tenerme todas las veces que se le antojase y donde fuese. Para él era camino libre para sus desahogos sexuales, para mí comenzó a ser el acto que me ocasionaba más repugnancia en la vida. Desde esta absurda farsa, el amor comenzó a tener otro sentido para mí. Aquel hombre que me volvía loca ya no me gustaba igual. Comenzó un asco repentino por el hombre que antes me hacía sentir tan feliz. El creer que si me acostaba con un hombre por primera vez tenía que casarse conmigo, pasó a ser en mi mente simplemente como una falsa creencia. Hasta ese momento nadie había tenido conmigo ningún tipo de conversación que me hiciera comprender lo sagrado que era mi cuerpo. Solo conocía de los miedos que te enseñan cuando comienzas a crecer, "no te dejes tocar de nadie" o la otra patraña mal explicada: "si te entregas a un hombre, ese se tiene que casar contigo", cuando solo había que enseñarme a valorarme como un ser importante para la familia. Todo esto iba marcando cada vez el tipo de mujer que no quería ser si el matrimonio algún día tocase mi puerta. El amor a mi persona, a mi ser, a todo lo que soy, quedó fracturado y herido de muerte por muchos años después de este letal enamoramiento.

Mi vida se estaba atiborrando de nuevos vacíos, falta de confianza y perversos escapes de mi realidad en el alcohol. Cada vez más enfadada, violenta, salvaje y desconfiada de todos. Ponderar el proyecto de formar una familia ya no era parte de mi lista de cosas anheladas. Agradar a mi prójimo para una mejor convivencia quedó definitivamente erradicado de mi nueva forma de vida. Comencé a vivir de manera diferente buscando encajar en algún lugar sin importarme el qué dirán. Pero de pronto la vida empezó a pasar facturas como consecuencia de la falta de dominio propio y la inestabilidad emocional. Estaba a punto de convertirme en madre por primera vez, aunque ya la lista de prioridades había sufrido cambios bruscos.

CAPÍTULO III

Si Dios existe, ¿Por qué mueren mis hijos antes de nacer?

Desafiando a Dios.

Dios existe. Es lo único que recuerdo que logré aprender de mi abuelita materna, una mujer católica que me llevaba desde mis siete años a la iglesia para que buscáramos de Dios y mi tía mayor, la que realizó la afanada boda, una mujer cristiana evangélica de toda la vida, que en aquellos años solo nos predicaba al Dios castigador, al Dios que te mandará al lago de azufre y sin retorno cuando peques en la vida, a ese Dios fue al que conocí en mi infancia.

La poca o ninguna relación existente entre Dios y yo era demasiado evidente y una tarea que, aunque lo intentara sería fallida en ese entonces. Todos mis canales receptores para este tipo de experiencias se encontraban totalmente bloqueados y cerrados.

Siempre en mi mente rondaba la pregunta ¿por qué Dios permite aquello o por qué permite lo otro si es tan bueno como dicen? Por más intentos de la abuela y la tía, ni en la infancia ni en la adolescencia tuve tiempo de conocer que Dios nos ama, nos escucha, nos perdona y que además tiene planes con nosotros, aunque en el camino tengamos algunas aflicciones. Para esta parte de mi vida, Dios era un perfecto desconocido del cual solo sabía que existía y esto no era suficiente para mí. La queja, era una constante que utilizaba para justificar la falta de fe con la que crecí.

En medio de la realidad, donde ya el supuesto amor de mi vida se comportaba como el padrote al que poco le importaba si continuamos la relación o no, quedé embarazada por primera vez. La primera reacción de mi supuesto "novio protector" fue que debía tomar algo para que no tuviera a la criatura, alegando que no se sentía listo para afrontar ser padre en ese momento. Preparó varios remedios en su casa y me pidió que no le contara a nadie. Me dijo que él se encargaría de que todo saliera bien, refiriéndose al aborto de mi primer hijo. Recuerdo que tomé unos cuantos vasos de tés que me llevaba. Aseguraba que todo saldría bien y me ponía frenética cada vez que decía:–Ahora no puedo ser padre de familia.

En el transcurso de los días mi madre empezó a notar que ya me veía diferente y me enfrentó. Directamente me informó muy segura en sus palabras:

–Creo que estas embarazada y si es así, entonces que ese señor responda y no hay nada más de que hablar.

Me insultó con algunas palabras hirientes que me hacían sentir como un insecto despreciable, paradójicamente, me hacía creer que era fuerte y estaba lista para al fin estar junto con el hombre que amaba tanto, aunque ya con ciertas reservas.

Supuestamente consciente de que debíamos afrontar nuestra realidad como adultos, aquel novio, como insistía en no estar listo para casarse, me llevó para la casa de su hermana mayor en un campito cerca de la ciudad donde vivíamos. Nos quedamos huyendo de mi familia los primeros días del embarazo, sentía vergüenza de que me vieran embarazada y sin casarme. En mi mente no había espacio para felicidad en los primeros dos meses.

Con el correr de los días fui despertando de esa absurda negación a ser rechazada por embarazarme en la casa. Dentro de mí comenzó a surgir de nuevo el amor a la vida, el desprecio que sentía hacia mi concubino y hacia mí misma comenzaba a menguar, aunque no del todo. Ya vivíamos solos, en un cuartico detrás de la casa de la suegra, soñábamos con el nacimiento de nuestro primer hijo al cual llamaríamos "Néyeli" fuera hembra o varón. El rechazo de mi madre a mi pareja todavía me dolía, pero me importaba poco pues, ya tenía en qué ocupar mis días.

Me encontraba totalmente enamorada solo de saber que experimentaría por primera vez el don de ser mamá, muy a pesar de las dificultades familiares que este evento nos había acarreado, por el rechazo que recibía cualquiera que se embarazaba sin casarse y en su casa materna. Pero la mañana del diecisiete de noviembre de 1993 trajo un giro inesperado a nuestras vidas. Casi amaneciendo llamé a gritos a mi pareja para decirle que sentía un dolor tan terrible que no me dejaba casi respirar. Era mi vientre, con apenas cuatro meses de gestación, iniciaba labor de parto sin que nosotros, los padres inexpertos, nos diéramos cuenta. Me llevaron a emergencia, los gritos me salían cada vez más fuertes, pedía por favor que no dejaran morir a mi primer hijo. Todos los intentos fueron fallidos pues con la cruel expresión de una enfermera de acento haitiano descubrí la aterradora noticia cuando me habló al oído con un ligero disimulo: –Matate cliatura, maldita mujer.

Allí estaba, acusada de haber realizado un aborto clandestino y fingir que era aborto espontáneo. Una ira monumental me atrapó cuando intenté agredir a la enfermera por la crueldad en sus palabras. Pedía a gritos ver a alguien de mi familia para buscar consuelo, pero fue en vano. ¡Que alguien me ayude por favor! Grité hasta perder el aliento. Al cabo de unos largos minutos pude sentir como se desprendía de mis entrañas ese pequeño hombrecito al que nunca pude tener en mis brazos. Lloraba en silencio pensando en las palabras de aquella enfermera y en parte, sentía culpa de haber tomado esos remedios que me hizo el flamante novio. No sabía a quién culpar, pero buscaba intensamente a quién adjudicarle esta pérdida, así que empecé por mí. Me sentía una mujer desnaturalizada, incapaz de merecer ser mamá. A mi pareja lo culpaba de ser poco hombre y poco esforzado y así iba culpando a todo mi alrededor durante el transcurrir de los días. Dios no fue la excepción, hasta a él le llegué a culpar de toda la tristeza que a la fecha embargaba mi corta existencia. Al llegar a la casa sin criatura en los brazos peleamos desde el primer día porque para mi sorpresa, según el afanado padre, yo era la única culpable porque no demostré tener amor por esa primera criatura en mi vientre. Peleamos por esta causa durante muchos meses.

Afortunadamente, en el año siguiente a la pérdida, me embaracé del segundo hijo. La espera me abrumaba pues la ansiedad y el miedo de volver a pasar por el susto anterior no me dejaban disfrutar de paz alguna. Anhelaba al fin ser mamá de alguien. En este embarazo pasó lo mismo en el quinto mes, desperté en la mañana con los mismos dolores y bañada en mi sangre, también era otro hombrecito al cual jamás tendría en mis brazos. Creo que enloquecí. No permití que nadie me hablara de este tema ni bien ni mal. Hablar de embarazo era tema prohibido por miedo a sufrir una vez más. Como quien va en picada hacia abajo en una loma, volví a sumergirme profundamente en mi viejo amigo, el alcohol.

Con desesperación y mucha ansiedad me embaracé por tercera vez, pero ya no me hacía ilusiones. No compré nada con anterioridad porque la desconfianza me atrapaba. Mi pareja se veía soñando con ese tercer hijo en brazos, durante los primeros embarazos tomaba mucho alcohol y sin medidas, pero para esta vez quería mantenerme lo mejor cuidada posible. Tomaba muy poco alcohol, aunque nunca dejé de hacerlo. Habían pasado unas semanas después del quinto mes, en mi mente ya me veía cargando a esa criatura, pero no lo decía a nadie, era mi secreto más oculto. Envuelta en el miedo y la tristeza por los eventos anteriores, dentro de mí venía creciendo un ser que renovaba mis fuerzas. Era el tercer intento de ser al fin mamá. En verdad, esperaba con mucha alegría conocer su rostro, a quién se parecería y todas esas cosas que pasan por la mente de una mamá en espera.

Simplemente, me esperaba otra nefasta pérdida más. Me sorprendió frente a la estufa mientras cocinaba el almuerzo, al igual que los anteriores me sacudieron el dolor y la amarga sensación de que pudiera no salvarse. En el camino mi pareja decía: –Tranquila que con esos meses se salvan los bebés.

Todo el trayecto iba haciéndome ilusiones, pero no dejaba de llorar y de preguntarle a Dios –¿Por qué a mí? ¿Por qué no logro tener a mis hijos en brazos? –Definitivamente había dejado de creer en todo, también dejé de creer en la existencia de ese Dios que mi abuelita y mi tía me habían enseñado.

Comencé a tener mi propia relación con Dios, donde me dedicaba casi todo el tiempo a reclamarle el porqué de tantas cosas que odiaba de mi vida. Tenazmente le interpelaba el haber nacido en ese hogar donde él me designó nacer y esos padres que no me amaban -según creía-, que tampoco le pedí. Le reclamaba la mayor parte del tiempo. Vivía frente a una iglesia evangélica pentecostal y casi siempre que hacían el llamado a reconciliarse con Dios y a aceptarlo, desde mi casa me decía en mi mente: "¿cómo aceptar a alguien que no te ha cuidado nunca ni te ha dado lo que le pides?". Me refería a ser madre, que era lo que pedía siempre después de la primera pérdida.

Así no, así no quiero ser mamá.

Conforme pasaron los días nos dimos cuenta de que nuestra unión no tendría mucho futuro. Seguía siendo una mujer cada vez más insoportable y resentida de todo. Vivíamos dentro de un cuadrilátero de peleas diarias, luego de los tres momentos de pérdidas de nuestros hijos. Sin embargo, un día amanecí con la brillante idea de comenzar mis estudios universitarios, motivé a mi pareja para hacerlo juntos, pero solo me acompañó un año. Entendía que no necesitaba estudiar para conseguir lo que quería en la vida. Aproveché la diferencia de aspiraciones entre nosotros para separarnos, íbamos y veníamos pretendiendo encontrar aquel amor intenso con el que nos conocimos, pero fue inútil. Cada día lo amaba menos hasta que dejó de ser. Se dedicó a andar detrás de mí suplicando ese amor de la primera vez, pero ya aquella muchacha no existía más. Había quedado solo en la historia y los recuerdos de él.

Una nueva mujer comenzó a vivir dentro de mí; una mujer a la que la vida no le importaba para nada. Aunque me encontraba haciendo una carrera profesional para un futuro próximo, el vacío y la desconfianza en el amor me empujaron a jugar con todo aquel masculino que quisiera pretenderme. Respetar si eran hombres casados o no, en ese momento no era opción para mí. Solo quería encontrar a alguien que me amara según mis propios conceptos de amor; que se hiciera solo lo que yo dijese. Continuaba a mi lado siempre quien se había convertido mi compañero fiel, el alcohol. Ya en mi mente no quedaba espacio para pensar si algún día volvería a formar una familia porque vivía de una decepción en otra, producto de la poca valoración que tenía sobre mí misma. Aunque tuve distintas relaciones, nunca me pude dar el lujo de decir que me había vuelto a enamorar. La mayoría de las veces solo sentía que era usada, mas no amada. Poco me importaba saberme no amada, pues cuando bebía todo quedaba en un aparente y fugaz olvido.

Hablar de este trago amargo que me dio la vida hace estremecer mi corazón desde lo más profundo y en ocasiones, mientras escribo, requiero salir a tomar bocanadas de aire fresco, no porque sienta lástima de mí, sino porque sé que en algún lugar puede haber mujeres que han tenido que pasar por esto y han decidido callarlo por vergüenza, para que nadie las señale. Pero el tiempo me ha dado la oportunidad de despertar a una nueva vida para que hoy pueda compartirles que, aunque hayamos tenido una infancia inesperada y un camino de adultos con experiencias amargas, la vida no termina ahí porque Dios tiene la última palabra.

Una noche, me encontraba saliendo una vez más con un hombre para conocerlo y ver si sería alguien que se interesara de verdad en mí. De regreso a la casa, me indicó que nos detendríamos un rato en el camino para estar a solas. Aun cuando le solicité que no entráramos a ese lugar, porque no tenía interés de acostarme con una persona que apenas tenía su primera salida conmigo, el mal educado hombre comenzó a insultarme, a decirme que eso es lo que las mujeres buscan cuando salen con hombres sin conocerlos. Me produjo un poco de miedo cuando se bajó de su vehículo y me dijo con voz grotesca y en tono alto: -Te dije que te bajes -finalizando la frase con unas cuantas maldiciones en voz alta.

Accedí a entrar al lugar creyendo que cuando nos sentáramos podríamos hablar de lo que no quería hacer. No me dio ningún espacio para hablarle, solo me pidió insistentemente que me calle. Estrujó mi vestido bonito arrancándole dos botones del pecho. Puso su pistola niquelada cerquita de mi cabeza porque advertía el pánico que me provocó al sacarla de su cintura. No me apuntó en ningún momento con el arma, pero disfrutaba ver el terror en mis ojos llorosos.

A fuerzas de mujer borracha, a insultos de todas clases terminó el más asqueroso acto sexual del que haya participado. Nunca supe cuánto duró sobre mí esa bestia desesperada, pero fueron los minutos más largos y sucios de mi vida. Luego de saciar sus bajos instintos me observó por unos minutos mientras me quedaba callada y quieta. Y guardando su pistola en el cinto me dijo: -Así es que se les hace a las mujeres como tú, que se hacen las que no quieren -susurró muy cerquita de mi cara —Entonces, se les hace a las malas —continuó.

Para terminar su repugnante despedida enfatizó: -Y no me importa si no te vuelvo a ver.

A todo esto, yo continuaba como muda. Salimos del lugar y seguía borracha pero consciente en todo momento, llegamos a la casa donde vivía con mi madre. Allí me desmonté bajo un silencio sepulcral, convencida de que me llevaría este evento hasta la tumba. Me prometí a mí misma que no le contaría jamás a nadie sobre este acto tan bochornoso. Una vez más estaba persuadida de que era mi culpa, que lo merecía y que me lo había buscado. Pasaron casi dos meses de aquella horrible experiencia. No volví a saber de ese funesto personaje.

Una mañana, mientras servían café en casa, me escondí para huir del olor. Al principio, ni por la mente me pasaba que pudiera estar esperando de nuevo un bebé. Me encanta el café, pero una de las cosas que más repudiaba en los embarazos era el olor de ese tinto. Corrí lo más rápido que pude a hacerme la prueba, tal como nunca lo esperé, tenía una criatura en mi vientre, pero esta vez de alguien a quien no conocía, a quien no amaba. Un salvaje hombre que me había usado a su antojo y por las fuerzas como un animal, quien como si fuera poco, llenó de insultos mis oídos mientras engendraba un nuevo ser en mí.

La mentira siempre será mal aliada.

De alguna forma tenía que explicar el nuevo embarazo. Vivía en la casa de mi madre con el último padrastro desde que me separé del tormentoso primer amor.

En la búsqueda de alguien con quien hablar lo acontecido, nadie generaba suficiente confianza para conversar abiertamente sobre lo que me ocasionaba tanta ira y vergüenza. Sorprendentemente, la única persona que llegó a mi mente para solicitar apoyo era mi expareja, alguien de quien me había separado años atrás y que además ya no amaba. Luego de expresarle todo tal y como sucedió, lloramos juntos, me abrazó acompañado de un largo silencio. Cuando había procesado la noticia me dijo: –Cásate conmigo –como si la consciencia lo matara por su falta de hombría en el pasado. Me negué de inmediato.

– ¡No!, ¿estás loco? –grité.

Tratando de hacerle entrar en razón le expliqué que cómo me casaría con él teniendo un hijo de otro y en esas circunstancias. Pensaba que nadie jamás creería mi historia. Entonces, le hice prometerme que no contaríamos a nadie ningún detalle al respecto. Pasaron los días y decidimos patentizar la gran mentira: que nos habíamos reconciliado porque estaba embarazada.

La mentira nunca será la mejor opción para afrontar cualquier realidad por dura y cruel que parezca. La experiencia nos iba dejando como evidencia, que esta no era una salida adecuada, pues el acoso y los comentarios insensibles de algunos familiares no convencidos de tal reconciliación, nos dejaba claro de que en algún momento habría que decir la verdad, aunque fuera doloroso. Entre tanto esta mentira se iba desarrollando, crecía dentro de mí un ser que recibía poco amor de mi parte en sus primeros días de vida. Ya no era la madre ilusionada que aprendió en sus primeras experiencias maternas, a aferrarse con amor a la dulce espera. El odio por los hombres era más fuerte cada vez, la antigua pareja que asumía el papel de marido nuevamente sufría todas las consecuencias del desprecio que me había ofrecido en el pasado. El dejarme tocar se volvía la pesadilla más asqueante que puede tener una mujer. Dejé de besarlo para siempre, aunque guardaba en mi corazón su primer beso. Estaba cerrada en mí, no permitía casi ningún roce que pareciera de amor ni de él, ni de nadie. Sin lugar a dudas fueron los meses de embarazo más difíciles que haya tenido en mi vida. En el cuarto mes de embarazo tuve la primera amenaza de aborto. El Doctor concluyó que había que realizarme un procedimiento quirúrgico o cerclaje urgente, pues el embarazo era gemelar con una pérdida espontánea de una de las criaturas. El espantoso episodio del pasado regresó, la imagen de llegar a la casa sin mi hijo en los brazos comenzaba a visitarme. Pero esta vez era diferente, una fuerte conexión de amor dentro de mi corazón empezaba a producirse con una personita que vivía nuevamente dentro de mí. Aunque parecía que sentía rechazo por el hermoso ser que crecía conforme pasaban los días, confieso que me escondía para hablarle y decirle cuanto le amaba. Sentía miedo de ser rechazada por cualquier motivo relativo al embarazo.

Renegué con Dios por permitirme iniciar como madre bajo esta realidad. Cargué con la culpa de la mentira de una falsa familia para sentirme protegida, sin embargo, algo hizo que valiera la pena, fueron aquellos ojos negros que me miraron por primera vez en aquella mañana del 25 de abril. De inmediato la nombré con un apodo que me nació del corazón: "mi princesa". Sin saberlo, estaba a punto de comenzar una nueva historia de amor, esta vez, con una hermosa criatura, mi primera hija. Un enamoramiento genuino y sin condiciones, del cual quizás nunca halle las palabras para describir.

CAPÍTULO IV

¡Como yo diga!

Del silencio a la culpa, una danza peligrosa.

Muchas de las mujeres que han tenido que convivir con el abuso desde la infancia, a menudo se les ven frágiles, sumisas y muy dependientes de quien comete los abusos. Mi madre es un referente viviente de esta realidad. En mi caso particular, aunque pudiera ser frágil, me empeñaba en forma consciente, en que solo se viera lo peor de mi carácter. Esto me hacía sentir una falsa seguridad frente a todo tipo de amenazas.

La culpa me asechaba y envolvía en un silencio cada día más letal. Era una persona con la que los demás sentían pavor de socializar por miedo a las malas actitudes repentinas. Por más que me esforzaba por parecer fuerte, en mi soledad lloraba hasta el cansancio de impotencia. Todos los días había una razón nueva por la cual adjudicarme la culpa de haber conseguido tener una criatura de esa manera. Situación que utilizaba para justificar cuántas copitas de alcohol tomaría. En la soledad de la noche, con frecuencia pensaba que morir sería la mejor forma de afrontar la vergüenza y culpa que me abrumaba.

Como si se tratara de una maldición, el hogar fundado en la mentira que formamos para esperar el nacimiento de mi hija solo pudo permanecer hasta los seis meses de nacida. Mi pareja decía amarme, pero ya era imposible corresponderle como él esperaba. La capacidad de amar era un privilegio que solo podía compartir con mi hija. Ser esposa de alguien ya no era una prioridad para mí.

Muchos intentos fallidos y esfuerzos divididos. Al final, lo que creímos sería la solución para evitar el rechazo de aquella cápsula a la que llaman "sociedad", se había convertido en un muñeco gigantesco con los pies de barro. Por más que batallamos no logró permanecer en pie. Me refiero a la "familia" que formamos. Hasta que un día me llené de valor y le pedí a mi pareja que se marchara de la casa y nos dejara solas: –Mira, hoy te vas –le sorprendí llegando del trabajo.

Aunque vivía con nosotras en la casa, a veces me dejaba sola para dormir en la casa de su madre por cualquier discusión que sostuviéramos. Aproveché que hacía esto con frecuencia hasta que un día le dije: –No más.

Ninguna resistencia puso. Algo que me confirmaba que se sentía a poco gusto en la relación. Usaba de costumbre una frase, la cual me dijo sin mucha objeción: –Amén, que se haga como dices. Siempre se hace lo que dices – enfatizó como si quisiera defenderse de mí.

El tiempo indolente pasaba. Cada día estaba más decidida a que cualquier hombre que se atravesara en mi camino tendría que aceptar mis condiciones y solo las mías. Jamás aceptaría que ningún hombre me impusiera reglas, pues esta vez haría lo que me diera la soberana voluntad con mi vida.

Durante este periodo de separación acepté que el padre legal de mi hija me llevara a terapias de psicología aun cuando ya no convivíamos. Él quería ayudar a encarrilarme de nuevo para ver si era posible otra reconciliación. Ya era demasiado tarde, el odio y el repudio que sentía hacia él por los acontecimientos pasados no dejaban espacio para reconciliación ni perdón. Había perdido el interés de compartir mi historia con alguien, de ahí, en adelante, continué el solitario camino acompañada de mi hija, quien se convirtió en el centro de mi vida, a mi manera. Como si me disculpara con ella por todas las faltas de una madre altamente violenta y llena de ira, la llenaba de regalos exagerados cada vez que me embargaba la tristeza.

En ocasiones, llegaban a mi vida arrebatos de ira contra mi hija, que surgían de la nada sin explicación alguna. A veces, era violenta con ella física y verbalmente de una manera muy extraña. La especialista de la salud mental que visité durante la espera de este embarazo me advirtió que estos eventos podrían producirse si continuaba alimentando el odio y el rechazo por la persona que me había embarazado. En mis más íntimos pensamientos, lo que sentía era un repudio total a la idea de tener que esconder el verdadero origen de mi primera hija nacida viva, el tener que ocultar esta parte de nuestras vidas me hacía una mujer muy infeliz todos los días, sin embargo, era algo ya pactado en secreto. Asistía a las terapias a escondidas de toda la familia por vergüenza, en ocasiones dejaba de ir por creer que ya no necesitaba ayuda y me hacía creer a mí misma que todo estaba bien.

Por otro lado, se me hacía pesado solicitar apoyo económico a la pareja de ese entonces, aunque éste se ofrecía constantemente para estos fines. Una mañana, desperté con el rostro de la bebé como de cuatro meses, mirándome fijamente y tocando mis párpados con sus frágiles deditos, la impresión de susto y espanto fue tan grande que eché un grito ensordecedor y pasé todo el día con sobresaltos, entre ira y griteríos. Cuando le comenté a la especialista sobre este susto, me dijo que estuviera quieta porque el amor por esa criatura era más grande que todo recuerdo que pudiera traer a mi vida en algún momento.

El tiempo le dio la razón a la terapeuta, porque ese amor fue creciendo cada día, hasta convertirse en una fuente inagotable dentro de mi corazón. Es por esto que, valoro firmemente la búsqueda de ayuda para la salud mental cuando la situación así lo requiere, al principio nos negamos a recibir la ayuda, pero siempre será oportuno buscarla, recibirla y perseverar hasta la mejora de la crisis.

No hay vergüenza para ti

"Los que miraron a él fueron alumbrados, y sus rostros no fueron avergonzados"

Salmo 34.5

En los caminos de oscuridad donde me encontraba en esos momentos de mi vida, Dios insistía en enviar a alguien para que me hablara su palabra. Reina Saviñón, una joven vecina que me conocía desde mi niñez, visitaba a menudo mi casa y me ayudaba con los quehaceres algunas veces. Le encantaba tener cargada a mi pequeña y nunca desaprovechaba el tiempo para darme una palabra de aliento, casi siempre por medio de la Biblia, algo a lo que no le hacía nada de caso aparentemente, aunque por dentro, estas palabras refrescaban mi alma, siempre fingía desinterés de lo que me decía. Reina, nunca supo ninguna de mis dificultades ni cómo había concebido a mi hija, sin embargo, Dios sí lo sabía, por eso comenzó a rodearme de personas tan insistentes y llenas de amor como mi vecina.

Uno de los pasajes de la Biblia que durante mi tiempo de rechazo a Dios traspasó mi corazón fue el salmo 34, el cual cada día comprendía mejor frente a la adversidad por la que pasaba. Al principio renegaba de esas palabras. Decía y sostenía que eso lo hizo Dios solo en aquella época y que jamás lo haría con ninguno de nosotros. Pero el amor y la paciencia de mi vecina poco a poco provocaron que comenzara a meditar en la palabra de Dios. Escuchaba de lejitos, con muchos prejuicios y estructuras mentales confusas acerca del Dios de mi niñez.

Cuando Dios quiere hablarte por medio de su palabra, no importa si en el momento lo comprendes o no. Te hablará de todos modos. Pasó mucho tiempo para que pudiera entender esa parte de *"no hay vergüenza para ti"*. Era más fácil alegar que no entendía, a aceptar que Dios sí podía escucharme y ayudarme, antes de que pasara por tantos momentos crueles en mi corta vida. Es posible que estos fueran los tiempos más altos de ira y enojo que pasé, pues a pesar de sensibilizar mi corazón por medio de la palabra de Dios, comenzó un nuevo ciclo de quejas y reclamos hacia el Señor.

Rebeldía quebrantada.

La paciencia y el amor sin límites de la vecina Reina, al fin lograron conquistarme para que visitara su iglesia. Colaboraba con todo cuanto pudiera para facilitar que lográramos acompañarla a algún culto. El templo quedaba retirado de la casa, pero hacíamos turnos para cargar a mi hija hasta llegar caminando. Pasamos unas cuantas semanas asistiendo en forma regular hasta que una noche sentí que el mensaje era como si Dios hablara conmigo.

—Hoy es un día en el que puedes recibir a Dios en tu vida —escuché.

Aunque esta frase la había escuchado muchísimas veces en diferentes iglesias, esa noche tuvo algo especial.

En mi arrogancia, intentaba hacer creer que no sentía nada cuando escuchaba predicar la palabra de Dios. Sin embargo, en lo secreto cuando nadie me miraba, lloraba con unos sentimientos que eran nuevos para mí y que no sabía cómo explicarlos. Prefería ocultarlos por temor a que pudiera verme como una mujer débil, conforme a mi esquema mental de ese entonces. El Señor estaba trabajando en mi vida, aunque ni siquiera me diera cuenta. Era un acontecimiento que esta vez no estaba bajo mi control ni mi voluntad, como creía. Pasaron algunos meses de haberle dicho que sí al Señor, pero seguía haciendo con mi vida todo lo que quisiera. Mis actitudes y formas de pensar con relación a todo lo que me rodeaba habían sido poco impactadas por la decisión de ser cristiana.

Inevitablemente, mi hija y yo, terminamos viviendo en la casa de mi madre y su esposo. Había tomado la decisión de aceptar al Señor, aunque no estaba realmente convencida del todo en seguirle. Seguí visitando la iglesia por un corto tiempo, recuerdo que era la Iglesia El Pesebre del Pastor Beliard en Santo Domingo. En el camino fui soltando, porque la guerra que tenía con Dios no cesaba, había días que peleaba hasta con mi sombra. Reina, nunca dejó de visitarnos mientras vivimos en su entorno. Siempre me llevaba una palabra especial que esperaba de un modo casi inconsciente.

Sabía muy bien que Dios quería algo conmigo, lo podía sentir en mi corazón, pero mi altivez y orgullo no dejaban espacio para comenzar esa relación que tanto necesitaba. El dolor y la vergüenza de alguna manera habían mutilado toda forma de recibir amor de cualquier persona, incluso de Dios. Cada vez estaba más sumergida en un enojo reprimido del que no comprendía cómo liberarme.

Negarnos a sanar heridas emocionales, implica que tengamos que pagar un alto precio. En mi caso fue muy alto. Comenzando con una depresión profunda que des-encadenó enfermedades físicas como falta de apetito o en ocasiones un apetito exagerado, pérdida del sueño, además, en el ámbito psicológico-social, constantemente sentía una inmensa falta de ánimo para emprender cualquier iniciativa, aunque esta me gustara, como también una soledad espantosa en la que prefería no conocer amistades nuevas, para evitar relacionarme con otras personas, y en el área espiritual, llegó un momento en el que me negué rotundamente a buscar a Dios aún después de pedirle que me ayudara a sanar, y sintiéndome "engañosamente" sana y libre de las heridas del pasado.

Así pasaron algunos años, desde que salí de mi casa por primera vez para formar un hogar. De tiempo en tiempo, visitaba una iglesia cerca de mi casa. En ocasiones leía la Biblia o escuchaba mensajes radiales cristianos. Seguía mi vida en el alcohol como si nada, aunque tomaba menos. Llegué a visitar la iglesia bajo estado de embriaguez en múltiples ocasiones. Para nada me importaba, siempre hacía gestos como si le hablara a Dios, diciendo: −Si tú existes de verdad, entonces quítame ese vicio de la bebida.

Me niego a seguir llevando antifaz.

Durante este tramo de la vida aproveché para formarme como maestra de educación física y primaria. Al principio, soñaba con ser maestra, pero mi madre desde niña siempre me dijo que no quería que sus hijos fueran maestros. Mientras cursaba la secundaria, en mi mente tenía como segunda opción convertirme en una gran publicista. Pero sin proponérmelo, la vida tenía otros planes para mí. En una conversación que sostuve con mi madre, me desanimó diciéndome: −Esa carrera no es para pobres −refiriéndose a la publicidad. Aunque no entendía sus palabras, ella insistió.

−Estudia Derecho −dijo con un tono persuasivo, pues mi cara seria y confusa no le dejaban claro si sus palabras me habían motivado en realidad. Para concluir enfatizó con lo siguiente: −En cada familia debe haber un abogado, un médico y un ingeniero.

Seguía sin entender sus aspiraciones pues en la familia de mis tíos maternos, jamás conocí a ninguno que se titulara de ninguna de sus profesiones propuestas. Asumí que eran sus sueños, no los míos, pero igual le hice caso. Sin embargo, al cabo de un par de años, estudiando derecho en una universidad privada, sostenerme con lo que ganaba como secretaria de escuela se hizo imposible. De sorpresa me vi atrapada por la crisis económica y falta de apoyo que a cualquier madre soltera le puede llegar. En ese momento mi madre tuvo la brillante idea de recomendarme que lo mejor era un cambio de carrera.

−Creo que debes transferirte para la carrera de educación −me dijo.

Es el mejor consejo recibido de ella en toda mi vida. No lo pensé dos veces, enseguida sometí el traspaso incluso para una universidad pública por entender que era lo más conveniente en el momento.

Mientras esperaba concluir los estudios estuve trabajando de secretaria en una escuela y de maestra en otra. En la escuela donde más tiempo trabajé me asignaron siempre grupos de niños y niñas en edades entre seis a ocho años, con los grados primero y segundo de educación primaria. Estos pequeños fueron mis verdaderos maestros. Me enseñaron a dejar de pensar en mí y a volcar toda la atención hacia ellos, cada niño representaba una familia diferente. El desafío de trabajar con cada familia dentro de un aula es el reto que nos espera a cada maestro y maestra cuando nos entregamos a esta hermosa pero comprometedora labor.

En mis primeros días de carrera docente un maestro de la universidad me regaló un texto que decía: *"El maestro más importante para un niño no es quien se crea impartir la asignatura más importante; sino, quién haga sentir importante y valioso al niño"*, (Anónimo). Nunca pude olvidar esta frase, ya que en mi vida escolar nunca logré captar la atención de ningún maestro que me haya hecho sentir tal sentimiento. Estaba determinada y decidida a darles a todos mis alumnos y alumnas lo mejor de mí, y a hacerlos sentirse importantes para alguien en la vida. Esto no estaba en discusión, por eso me propuse impactar sus vidas con amor, aunque fuesen pequeñitos. En una de mis primeras experiencias pedagógicas llegué con el grito al cielo donde mi madre y le dije: −El grado que tengo es muy bueno −engruñando las cejas le añadí −pero me toca trabajar con un niño tan fuerte que hasta me asusta.

−¿Qué te hace? −me preguntó.

−Me quiere sacar hasta los ojos. Es muy violento −respondí.

Mi madre medio risueña trató de animarme con una sencilla advertencia: −Donde llegues siempre habrá un pequeño o una pequeña que te va a necesitar, solo dale, amor y verás cómo la situación mejora. Aunque mi madre nunca fue una mujer muy expresiva y "zalamera" como decimos los caribeños al referirnos a la gente común de mi país, para describirlas como cariñosas, afectivas y de felicidad contagiosa. Siempre llega a mi mente como grato recuerdo, ese sabio consejo de mi primera mentora maestra, de que diera amor a cada niño sin importar su conducta en el aula. Para mí fue una fórmula infalible con resultados poderosos.

Desde ese instante comencé a observar cuidadosamente a cada uno de mis alumnos con quienes que me tocara trabajar. Colocaba mi corazón de madre en cada proceso educativo y esto poco a poco iba fortaleciendo mi práctica en relación al manejo de los conflictos en el aula. A veces creo que ser maestra fue la excusa perfecta que Dios utilizó para sacarme del círculo de dolor con el que crecí.

Mi princesa cumplió cuatro años, seguíamos en complicidad hasta para irnos a dormir por las noches. La familia continuaba con la crítica de que no la educaba bien porque la sobreprotegía demasiado y la ahogaba en regalos.

−Simplemente soy mamá a mi manera −era lo que justificaba como tratando de protegerla en una burbuja donde nadie la dañara ni juzgara por el origen de su nacimiento. Durante las advertencias de mi familia acerca de que estaba malcriando a la niña, yo estaba consciente de que ellos tenían la razón, pero no les daba oportunidad de manejar o decirme cómo criar a mi hija. Un amor posesivo exagerado sobre ella era lo que definía nuestra relación madre-hija.

Luego de celebrar el cumpleaños número cuatro de mi hija, algo inesperado sucedió en mi vida. Comencé a enamorarme una vez más. Ya tenía casi treinta años y llegó a mi vida un hombre nuevo. Era diecisiete años mayor que yo, exactamente de la edad de mi madre. Un compañero de carrera docente que venía con un historial de separación de varias parejas concubinas con hijos en cada una de sus relaciones. Poco me importó de dónde venía ni su edad, al igual que en el pasado, otra vez buscaba a alguien a quien yo le importara. Todo fue muy rápido, él me pidió irnos a vivir juntos con una conversación muy moderna para su edad.

—Vivamos juntos —dijo una noche de tragos en la casa.

Respondí como si tuviera un resorte en la boca:

—No, de ninguna manera, solo me uno al hombre que se case conmigo.

—Nunca me he casado con nadie, solo me ha tocado vivir junto a las madres de mis hijos, pero sin matrimonio civil —comentó.

Intentó convencerme con esta motivación, pero poniéndole punto final al asunto, le afirmé: —Ya escuchaste lo que pienso al respecto.

No se habló más del asunto por toda la noche. Al principio no se veía convencido, pero accedió rápido para evitar que me arrepintiera en el intento. Se sentía enamorado, sin saber lo que le esperaba. Finalmente accedí y nos casamos. Realizamos una boda hermosa, en la que nos acompañaron nuestros familiares y amigos. Al principio, mi familia miraba con recelo, desde la acera del frente esta relación por la forma tan rápida en que aconteció todo el tema del matrimonio. Pensaban que en un par de días todo se iría por la borda, quizás por el mal genio con el que me manejaba de costumbre. Pero desconocían algo, estábamos enamorados a pesar de los prejuicios que nos expresaban.

En los primeros tres años de casados, fue como un maremoto para ambos. Él un hombre mujeriego y fiestero, y yo, una fiera salvaje. Lo único que teníamos en común era la profesión y que nos gustaba salir a tomar alcohol de vez en cuando. Al parecer, buscaba una mujer que se quedara en casa mientras él "rompía los platos" en la calle. Definitivamente, esa no era mi expectativa de vida.

Mi familia no perdía tiempo para criticar la decisión que tomé de casarme con un hombre que me llevara tantos años. Aunque mi comportamiento rebelde dejaba mucho que desear, desesperadamente anhelaba sentirme amada y protegida por un hombre. Transcurría el tiempo, en medio de peleas que casi siempre iniciaba yo por cualquier excusa, mi esposo, bien calmado y callado, solo me observaba y esperaba que se me pasaran los berrinches.

Involucrarme de lleno en mi carrera docente continuaba transformando poco a poco mi mal carácter, pero el matrimonio demandaba más compromiso de cambio para fortalecer la familia que planeábamos completar. Cada día que pasaba mi esposo y yo tratábamos de acoplarnos mejor. Y cuando ya me encontraba súper distante de todo lo que tuviera que ver con Dios, llegó una vez más una mujer muy especial a mi camino. Ella me predicó con un amor de madre el mensaje de la palabra de Dios por unos meses, sentía cómo los aires en mi casa empezaban a ser menos densos. *Alguien aprendía a quitarse el antifaz de indolente* e *insensible* porque empezaba a vivir una nueva vida al descubierto, la careta que usaba para hacer creer que era indomable comenzaba a caer.

CAPÍTULO V

En el fuego serás procesada

En la forja

Desafío sobre fuego, es un programa de televisión que veo regularmente en un canal llamado History Channel. Se trata de competidores que van tras el título de mejor forjador de hierro, fabricando distintas armas como espadas, machetes y cuchillos. Me llama poderosamente la atención la similitud que puedo notar entre el proceso que agota el metal hasta llegar a ser una hermosa obra de arte y el de una persona rebelde e incrédula como yo, cuando es depositada en las manos de Dios, el forjador.

En la forja, el hierro es sometido a muy altas temperaturas de fuego para deformarlo, una vez que se encuentra listo, recibe fuerza de compresión para darle la forma que tendrá la obra finalmente. Muchas veces durante el proceso el forjador notará que, aunque ha martillado con fuerzas y ha sido cuidadoso de los detalles al pulir sus imperfecciones; la pieza requiere ser hecha de nuevo porque no cumple con la finalidad para lo que fue creada. A veces queda hermosa y brillosa aparentemente. Sin embargo, queda con grietas casi invisibles que, aunque la gente común no pueda percibirlas a simple vista, el fabricante sí. Esto requiere entonces, que la pieza vuelva a la forja para hacerla de nuevo, pues estas grietas harán que con facilidad sea quebrada.

Sin comprenderlo, de alguna manera en la vida hemos tenido que ser procesadas en medio distintas circunstancias. Por las consecuencias de un divorcio, el abandono de los padres, por ser sometida a abusos, por la pérdida de los hijos, por la larga espera para ser madre, o por jamás haberlo experimentado, por la falta de perdón, por el rechazo y en ocasiones, por injusticia, entre otras tantas. Cualquiera que sea el motivo del proceso, traerá dolor. Como la espada, tendrás que ir a la forja del maestro a recibir altos grados de calor para conseguir la resistencia que necesitas para comprender tu propósito en la vida. Así tendremos que estar depositadas en las manos de Dios, permitiendo que trabaje en nosotras. Es muy seguro que duela, y mucho, pero todo lo que hace en nuestras vidas tiene una finalidad poderosa: *que conozcamos el propósito para el cual hemos nacido*. No importa la nación donde naciste, el idioma que hables, la familia en que te tocó crecer, las discapacidades con las que naciste o el rechazo de los seres que amas. No importa el rechazo del papá que te engendró por medio de un abuso en el vientre de tu madre y nunca investigó tu existencia, no importa en lo que crees, tampoco en lo que no crees: cuando decides entrar a la forja del maestro, tu vida traerá nuevas marcas. Y estas huellas sí son para siempre. Cuando estuve en la forja en mi juventud, puse toda la resistencia que pude para evitar dejar el estilo de vida iracundo y de odio que llevaba, pero "el forjador" Dios, tuvo amor, paciencia y dedicación por mí. Por lo que ahora veo y vivo la vida de una forma diferente, porque tengo la compañía de un Padre que me ama y como maestro paciente trabaja moldeando mi carácter todos los días por medio de su Palabra.

¡Entra en la forja! El maestro espera para restaurar todas tus grietas y convertirte en una obra de arte en sus manos, para que puedas vivir a plenitud y con gozo tu vida.

Postergando el encuentro con Dios.

Después de haber pasado por tantos procesos difíciles en la vida, es una buena noticia escuchar sobre lo que dice la Biblia acerca de ser una nueva criatura "*De modo que, si alguno está en Cristo, nueva criatura es; las cosas viejas pasaron; he aquí todas son hechas nuevas*". *2 da. Cor 5.17.* ¡Oh, sorpresa! Escuchar esta afirmación no es suficiente para continuar con la vida cristiana que anhelamos cuando decidimos seguir al Señor. ¡Creerlo y tomar acción también es necesario!

En una oportunidad, me encontré con un texto que activó una alerta en mí, estaba en el libro; Controlando sus emociones de Joyce Meyer "No es necesario que usted tenga un llamado como el mío para ser de bendición, pero ocúpese de serlo para cada persona con la cual entre en contacto en su vida diaria". La autora nos señala distintos tipos de maltrato como el emocional, verbal, físico y sexual en su obra, asimismo nos advierte que podríamos alguna vez ser heridas por Satanás en el calcañar, sin embargo, nos anima a tomar la determinación de herirle la cabeza a él.

La persona que ha sido herida emocionalmente suele manifestar un carácter casi incontrolable en ocasiones o de exagerada sumisión. En mi caso, todavía es una tarea a la que hago revisión todos los días, renunciando a todo lo que venga de la "pura obra de la carne" y retomando los frutos del Espíritu de Gálatas 5:22-23.

El deseo de estar conectada con la palabra de Dios y pasar tiempo con la lectura de libros sobre vida cristiana, se había convertido en un escape secreto para mí. Con frecuencia me dedicaba un libro, como si me lo regalaba a mí misma.

Aunque estaba segura de no estar haciendo lo correcto delante de Dios muchas veces en la vida, de algo sí estaba segura: mi alma quería agradar a Dios. Por esto, a pesar de la rebeldía persistente, Dios insistía con un profundo amor para que le escuchara en todo momento por medio de la biblia, y a través de las personas que siempre colocaba en mi camino, por medio de mensajes radiales, televisivos, libros cristianos, libros de autoayuda y hasta de emprendimientos en la vida. Creo definitivamente que Dios es un ser muy creativo cuando decide hacer que le escuches.

Rick Warren, en su libro *Una vida con propósito*, nos expone a manera de reflexión la siguiente frase "Este mundo no es mi hogar" y nos invita a considerar esta pregunta: ¿Cómo debería cambiar mi manera de vivir, el hecho de que la vida en la tierra es una asignación temporal?

Siendo bien sincera puedo transcribirte lo que respondí sobre el ejercicio cuando tuve la oportunidad de leerlo:

Bien, creo que mientras menos me apegue a las cosas terrenales será más fácil comprender que estoy de paso en este mundo, y de este modo, estoy preparando mi equipaje para vivir en ese lugar especial que Dios tiene reservado para mí.

Al momento de responder esta consigna que me solicitaba el autor en este ejercicio; sentía un profundo anhelo de agradar a Dios con mis acciones, pero leer y escribir estas afirmaciones en ese entonces demandaba un cambio real en mi vida cristiana. Requería que me detuviera, no solo a pensar en esta poderosa verdad, sino también a ponerla en práctica. Sin embargo, con el tiempo pude comprender el secreto dentro de esta cita bíblica que nos ofrece el autor para esta reflexión *"Así que no nos fiamos en lo visible sino en lo invisible, ya que lo que se ve es pasajero, mientras que lo que no se ve es eterno"* 2da. Cor. 4.18 (NVI). Estaba comenzando a entender esa verdad, de que este mundo no es mi hogar y que todo cuanto pudiera ver con mis ojos siempre sería pasajero.

Un cruce emocional muy fuerte se produjo porque antes entendía que, si quería algo material y lo conseguía para mí, eso era toda mi felicidad, era "lo eterno" en mi mente o como lo había aprendido durante toda la vida. No era manejable para mí tal concepto bíblico, pues pensaba que todo lo que mi cartera pudiera pagar, era "lo eterno" o todo lo que necesitaba para mi estabilidad emocional y espiritual.

Aquello de asumir lo antes dicho, ser "una nueva criatura en cristo" muchas veces se me hacía complicado por lo materialista y consumista que llegué a ser. Encontré en ese materialismo, una forma de rellenar todos los espacios vacíos por la vida triste pasada. Al final, descubrí que solo me engañaba a mí misma y comencé a ver el verdadero valor de las cosas materiales y perecederas versus las que sí son eternas.

Quiero aclarar que tener posesiones materiales no tiene nada malo, lo que puede ser peligroso, es que conviertas esas posesiones en tu propio dios, olvidando o desconociendo el propósito para el que nuestro Padre nos creó.

Necesitamos comenzar una nueva vida de constante renuncia a las tóxicas actitudes que nos han acompañado desde la infancia quizás. Una vida comprometida con renunciar al egocentrismo de la vida pasada para cada día tratar de reflejar a Cristo en nuestro accionar.

En los primeros años en que decidí serle fiel a Dios por completo, se producía en mí con frecuencia una "tormenta" que traía anclada desde tiempos atrás. Esto postergaba cada vez más un verdadero encuentro con el Señor donde me rindiera de una buena vez, total y absolutamente en sus brazos, aun congregándome de forma regular en la iglesia y haber experimentado cambios importantes en mis actitudes frente a la vida.

Una de las grandes batallas en las que postergaba un encuentro genuino y verdadero con Dios, era que oraba pidiendo la guía de Dios para tomar algunas decisiones y casi de inmediato decidía que lo haría a mi manera, muy consciente de que no había esperado el tiempo suficiente por lo que había pedido en oración.

Sucedía con mucha frecuencia y siempre buscaba cómo justificarlo. En mi humana comprensión llegué a creer que el decidir seguirle, servirle y creerle, tenía incluido "un chaleco blindado para el dolor y las afliciones" que vienen como consecuencia de nuestras "conscientes malas acciones de desobediencia a su Palabra". Era el principio del primer amor con el Señor y esta era mi inocente percepción. Situación que, sin darme cuenta, interfería en mi relación con Dios cada vez que en el camino me encontraba con dificultades. Asistir religiosamente a la iglesia y cumplir a mi manera con los deberes cristianos estaba postergando un encuentro real con Dios. El engaño y la estafa del que sería objeto estaba por revelarlo.

Uno de los berrinches que tuve con mi esposo al principio del matrimonio, me llevó a que tomara la iniciativa de inscribirme en un viaje clandestino hacia España. Supuestamente a trabajar como peluquera, ocupación en la que trabajaba en los fines de semanas para entonces. Ya era una mujer cristiana, pero igual continuaba con mañas viejas de hacer todo a mi manera, sin consultar con nadie.

¡Bueno! Me hacía creer a mí misma que había pedido la dirección de Dios, cuando ni a mi esposo, ni a nadie en la familia le había comentado algo sobre las decisiones que tomaba, por ejemplo, esta decisión de viajar a escondidas de todos hacia España. Era como si todavía me encontrase corriendo de todo y hasta de mí misma. Algo que nunca podré olvidar es que mientras pagaba el dinero del viaje que sería en un mes, hacía la lectura de un Salmo cada noche como si buscara una respuesta de Dios que llegaría en la forma mecánica que me había planteado para que me hablara. Es muy posible que Dios insistiera en llamar mi atención de cualquier forma, pero estaba ciega, sorda y solo hablaba conmigo misma.

Terminé los ciento cincuenta capítulos de los salmos durante la espera. Evidentemente algo andaba mal, pues solo debía esperar treinta días por el boleto aéreo y el supuesto contrato de trabajo. Nunca llegó tal contrato, porque ya la respuesta de Dios había llegado, aunque me haya tomado mucho tiempo descubrirla. El Señor permitió que se descubriera una red de trata de personas que contrataba mujeres de manera engañosa, con contratos falsos, en la que al final de la operación abandonaban a las muchachas en un centro de prostitución y no en peluquerías como prometían. ¡Ahí estaba la respuesta de Dios!, aunque imperceptible para mí en ese momento, pero siempre estuvo frente a mis ojos. Lloré mucho y me avergonzaba que supieran que me habían estafado con una alta suma de dinero.

Por más que postergué este encuentro con Dios, llegó de todos modos. Y a la manera de él, no a la mía. Quizás en la forma que jamás pudiera imaginar. Dios, en su soberanía hace como quiere y esta fue la manera en que me sacudió el piso para hacerme reaccionar y entender su inmenso amor por mí, aun siendo yo la persona rebelde de ese entonces. Desde esta experiencia, el Señor comenzaba una obra en mi vida en la que me estaba enseñando como si fuera una niñita, a dar las gracias. En mi corazón empezaba a cultivarse una actitud de agradecimiento que casi no practicaba, por creerme de forma egoísta, merecedora de todo. Al Señor permitirme ver cómo obró su mano con poder para que no entrara en aquella trampa de prostitución disfrazada de trabajo, comencé a vivir como una mujer agradecida. Pero no solo con mis palabras, sino con mi práctica de vida, pues es la mejor manera de predicar lo que creemos.

Perdonándome para perdonar.

Veamos ¿cómo se puede definir la palabra perdonar? es olvidar las faltas de alguien. Te perdono, pero no lo vuelvas a hacer. Dicho de otra manera, es dejar ir, soltar, liberar.

Cuando asistía a los cultos, llevaba conmigo una libreta pequeña donde anotaba cada palabra que quería volver a recordar para meditar en ella. Una noche, un predicador que visitaba mi iglesia me llamó al frente y me dijo:

—Dios ya no te quiere ver derrotada ni abatida, has intentado todo, pero solo con tus fuerzas.

Seguía hablándome con un tono muy natural como si me conociera. Hice silencio y solo escuchaba para anotar en mi libreta al sentarme. Cuando ya me retiraba al asiento me detuvo diciéndome en muy baja voz:

—Has huido tanto de ti misma que hasta has pensado que el suicidio o irte fuera del país podrían terminar con la tristeza que ocultas.

Me sentí como desnuda frente a todos, aunque nadie escuchara las palabras que este hombre decía cerca de mi oído. Nunca pregunté su nombre ni de qué país venía, pero me inquietaban sus palabras por tratarse de alguien desconocido al que miraba por primera vez. Tenía mis propias creencias acerca de estas experiencias, pero sin duda entendía que Dios seguía insistiendo para que soltara la mochila del rencor del pasado. Casi no pude conciliar el sueño esa noche, pero al pasar de los días todas esas palabras quedaron como letras muertas en mi libreta.

En uno de los encuentros de los que regularmente hacía la iglesia, Dios comenzó a tratar algo muy particular dentro de mi corazón. Insistía por medio de su palabra, en hacerme comprender la importancia del perdón para vivir una vida sana. El texto bíblico que rompió todos mis esquemas mentales en esa oportunidad era Lucas 11, específicamente donde nos hablaba del perdón. Me sentía sorprendida, porque a esa altura de mi vida todavía creía que el Padre Nuestro era una oración que solo conocían los hermanos católicos, no tenía idea de que se encontraba en la biblia, tal y como me lo había enseñado mi abuelita católica. En medio del estudio nos invitaron a leer por separado el versículo completo: *"Y perdónanos nuestros pecados, porque también nosotros perdonamos a todos los que nos deben. Y no nos metas en tentación, más líbranos del mal". Lucas 11.4.* Estaba más que convencida de que Dios me hablaba a mí en ese momento. Reflexionamos y socializamos lo que habíamos entendido y nos asignaron una misión para hacerla con nuestra familia y amigos. Había llegado la hora de pedir perdón. El temor quiso impedir que cumpliera con la asignación, pero Dios se las ingenió para ayudarme.

Todo el día lo pasé practicando en mi habitación, cómo sería el inicio de esa difícil misión. El primero en quien pensé fue en mi padrastro, los sentimientos hacia ese hombre no eran para nada sanos. Aunque ya asistía a la iglesia por un tiempo, la raíz de amargura era muy evidente. Después de la cena, con el corazón que latía a mil por horas, me acerqué a él y le dije:

−Necesito decirle algo bien breve.

Me miró y respondió: −Dime mi hija.

No sabía por dónde empezar pues ya nos habíamos herido tantas veces que ni sabía entablar una conversación civilizada. Comencé diciéndole:

−Mi mamá es el ser más importante de mi vida − temblando, continuaba avanzando con lo que quería decirle −es que ver cómo todos estos años usted nos ha maltratado verbalmente, ha llenado de tristeza y rencor mi corazón. Recuerdo que hablé corriendo y sin parar por unos minutos hasta que él me detuvo: −Tranquila −y continuó hablando.

−Sé que a veces les grito en muy mala forma a ustedes y a su mamá, pero en realidad no lo hago por maldad.

Insistí en concluir:

—Perdóneme, por favor —le dije delante de mi madre que era la testigo y a quien invité para este encuentro. Me miró con un rostro que no reflejaba emocionalmente ningún sentimiento, pero me dijo:

—Te perdono claro, yo sé que me he comportado mal muchas veces.

Mi padrastro también me pidió perdón y le dije que por mi parte era perdonado. Nos dimos un abrazo, a mi madre y a mí nos brotaron algunas lágrimas al final de todo. Podía notar la mirada de alivio que tenía mi madre, pues en todas las peleas de mi padrastro siempre terminaba tomándome para mí el desenlace por alguna razón. Ya era hora de un respiro.

Regresamos a la iglesia todos, con la misión cumplida en la casa y con nuestros amigos. Compartimos las experiencias y pensaba que ya jamás volvería a tropezar con los abusos del padrastro como si hubiese quedado encantado con una varita mágica.

Cuando comenzamos a ejercitar la práctica del perdón, se nos hace difícil gestionar nuestras emociones, y mucho más cuando nunca hemos buscado ayuda en La Palabra de Dios o con los especialistas de la salud mental que nos podrían orientar en la búsqueda de la sanidad interior que necesitamos para convivir mejor desde adentro.

Algo no andaba bien con el asunto del perdón. Todavía las cosas se salían de control cuando me enojaba. Sentía que este proceso no había sanado nada dentro de mí. Pero una mañana descubrí que esa parte del padre nuestro que dice: "perdónanos" todavía no la había creído para mi vida, no me sentía perdonada. En ocasiones, me sentía culpable de todo lo sucedido alrededor de mí desde la infancia. Perdonaba, pero no me sentía perdonada por Dios. Así transcurrió un tiempo en la búsqueda de la Palabra de Dios. Hasta que al fin pude comprender que ya el Señor había perdonado todas mis transgresiones. De modo que, entendí también que debía perdonarme a mí misma para perdonar a otros. Recién estaba comprendiendo, que ya Dios había perdonado todas las heridas que había ocasionado a todos y a mí misma. Entonces: "Si Dios ya me perdonó, quién soy yo para no perdonarme". Descubrir este atajo permitió un nuevo despertar para mí.

CAPÍTULO VI

Identidad de hija

Lo desconocía, pero siempre tuve Padre.

Continuar viviendo una vida en permanente contacto con la Palabra de Dios sigue brindándome oportunidades de tener experiencias que nunca tuve desde que mi padre nos abandonó. Crecí con el rótulo de hija de madre soltera, algo con lo que posiblemente no logré lidiar a mi favor en la juventud. Enterarme que mi papá se marchó a Europa durante mi adolescencia sin al menos despedirse, profundizaba una tristeza silenciosa y perturbadora. Esto carcomía mi corazón y me hacía sentir carencias inmensas que no sabía cómo manejar. Así crecí, creyendo siempre ser una mujer sin padre. Escuchar los constantes regaños de mi madre cuando nos recordaba bajo gritos:

—Solo hasta ahí puedo ayudarte en esto o en aquello. Sabes que ustedes no tienen papá. No lograba comprender el *síndrome del padrastro,* que no asume por completo todas las necesidades de los hijos de la esposa con la que se casa. De alguna manera lo recibía siempre como un rechazo a los hijos "ajenos".

Mi madre con facilidad pasaba lista de su sacrificio por nosotros, terminando siempre con el mismo diálogo:

–Ustedes no tienen un padre -repetía y repetía en cada conversación, a lo que generalmente con ira le refutaba respondiéndole:

–Yo no elegí a mi papá, lo elegiste tú.

Conforme me sumergía en la Palabra iba despertando en mi interior una verdad que siempre estuvo ahí, aunque no me diera cuenta, sí tenía un Padre.

Nuestra identidad estará salpicada de una serie de creencias y costumbres practicadas en el círculo familiar con el que crecimos. Sin embargo, no siempre todos los miembros de una misma familia crecerán con la marca de los esquemas y patrones de vida aprendidos en sus hogares. Algunas personas aun viviendo la mayor parte de su tiempo al lado de papá, mamá y sus hermanos, pudieran en algún momento sentir que no pertenecen a ese grupo social tan importante al que le llamamos familia. Para la época de mi adolescencia pude experimentar muchas veces esta sensación de no pertenecer a ningún grupo social. Esto, sin lugar a duda hizo más difícil el trayecto de niña a mujer. Veo con una profunda tristeza cuando una madre soltera vuelve a construir un hogar nuevo y en la mayoría de los casos el padrastro no asume con amor genuino a estos hijos, dejando por sentado que no es necesario estrechar y establecer vínculos afectivos de convivencia sana, donde los hijos se sientan acogidos en el nuevo círculo familiar.

Una emoción de alegría que no logro comparar con nada comenzaba a dejar huellas imborrables en mi corazón. Recién estaba descubriendo que podía llamar a Dios "padre". Estaba confirmado en la Biblia, entonces para mí era verdad. *"Más a todos los que le recibieron, a los que creen en su nombre, les dio potestad de ser llamados hijos de Dios" Juan 1.12.* Definitivamente, una atmósfera de amor paternal estaba rodeando mis días, los frutos eran evidentes en la forma de convivencia que estaba llevando a cabo con mis familiares. El buen trato hacia mi persona y al prójimo, ¡al fin! comenzaba a ser parte de mi nuevo estilo de vida, poco a poco, empecé a sentirme amada desde que Dios me hizo sentir su hija.

Un amor incomparable.

Abre tu corazón y actívalo para recibir ayuda, el amor de Dios puede cruzar todas las fronteras hasta lograr su propósito en nosotras.

En el mensaje de los evangelios, además de conocer la vida de Jesús, podemos verificar el inmenso amor de Dios por nosotros, pues aun siendo nosotros incrédulos y pecadores, no escatimó en enviar a su único hijo para que sea crucificado por ti y por mí. El amor de Dios no tiene límites, es incomparable.

Aferrada a la fidelidad del Señor, comenzaron a nacer nuevos sueños. Ser madre de nuevo, luego de haberme casado se encontraba en mi lista de anhelos.

Atesorar las promesas que Dios hace a su pueblo en la Biblia, empezó a generar en mí, confianza sobre el futuro. *"Entonces dijo: De cierto volveré a ti; y según el tiempo de la vida, he aquí que Sara tu mujer tendrá un hijo. Y Sara escuchaba a la puerta de la tienda que estaba detrás de él". Génesis 18.10.* Es curioso ver cómo a veces nos reímos en silencio, cuando nos aseguran que como Dios hizo con Abraham y Sara, también puede hacerlo con nosotras. Sara, se ríe de estas palabras que Jehová le daba porque dudaba de que una mujer vieja como ella tuviera la oportunidad de ser madre alguna vez. En mi caso no fue diferente, también tuve dudas al principio, pero preferí creer y esperar por la promesa de Dios, de que volvería a ser mamá una vez más.

El temor del pasado, de volver a tener hijos que morían antes de nacer, en ocasiones se asomaba mientras dormía. Había una pesadilla que de tiempo en tiempo atrapaba mis madrugadas, pero dice la Palabra: *"Dios no es hombre para que mienta, ni hijo de hombre para que se arrepienta". Núm. 23.19,* por lo que mi mente y mi corazón, aunque recibieran repentinos dardos de miedo continuaban aferrados a quien le había creído, a Jehová mi padre. Así que pacientemente esperé la oportunidad de volver ser madre otra vez.

Como un regalo de amor de parte de Dios para nuestra familia, llegó nuestro hijo Isaac, al que le nombré "lo más bello". Nació un niño muy fuerte y sano. Toda la familia casi enloquecía, pues ya hacían unos diez años que no llegaban nietos nuevos ni sobrinos a la casa de los abuelos. Mi hija mayor pensaba que era como un muñeco de regalo "de su propiedad" que le había traído su madre. Lo miraba y sus ojos se cristalizaban con lágrimas de la emoción. Nosotros los padres, disfrutamos con alegría inmensa esta nueva oportunidad que Dios nos presentaba.

Para el año siguiente al nacimiento de Isaac ya estaba en espera del nuevo regalo en mi vientre. Aunque se me complicaba el desplazamiento con facilidad por tener una criatura en la panza y otra en los brazos, disfrutaba estar caóticamente feliz, acompañada de "mi princesa" la hija mayor, "lo más bello" mi segundo hijo nacido vivo, y la personita que crecía rodeada de amor dentro de mi ser "lo mejor que me ha pasado" como le nombré a la pequeña Ruth desde que supe que venía en camino. El nacimiento de la pequeña también estuvo rodeado de amor y alegría. Ya en la casa había tres hijos con los que comenzábamos la tarea de educar según nuestros valores como familia.

Aunque mi esposo se manejaba siempre muy de lejos con los temas relacionados a iglesia, religión y relación con Dios, me apoyaba en todo para que participara de todas las actividades relacionadas a mi relación con Dios. Todos los días que había que congregarse en la iglesia, colaboraba con los quehaceres de la casa, para que yo pudiera dedicar el tiempo que necesitara para estos fines. Pero no todo es color de rosa para una mujer cristiana, más aún cuando se trata de una mujer que viene del mismo estilo de vida de "fiestas y parrandas" de su esposo inconverso. Venir de este estilo de vida a los pies de Cristo, dejando en ese mundo a mi esposo, trajo sus propios desafíos para ambos. Al principio, intenté atraerlo a las malas -casi por los cabellos- a la nueva vida que experimentaba en el evangelio. Era una batalla que requería de otras armaduras para pelearla: La oración. Orar de forma constante por mi esposo, fue la única herramienta que me devolvió la paz en la desesperada petición para que él también, algún día, tuviese acceso a la experiencia de depender de Dios para todo. Hoy día, todavía no ha tomado la decisión de creerle ni seguirle, pero tengo la confianza de que, en su tiempo, mi Padre también le alcanzará con cuerdas de amor como lo hizo conmigo, como también puede hacer por ti el día menos esperado, quizás.

Honra a tu padre y a tu madre.

"Honra a tu padre y a tu madre, que es el primer mandamiento con promesa; para que te vaya bien, y seas de larga vida sobre la tierra". Efesios 6.2-3.

Comenzar a vivir con identidad de hija, nos rodea de una constante actitud de gratitud hacia Dios por demostrarnos por medio de su Palabra que es nuestro Padre. Esta nueva forma de vivir es una oportunidad para restaurar las relaciones poco favorables del pasado que hayas tenido con tus padres biológicos.

Es posible que mientras pasamos por el proceso de sanidad interior referente a la relación del pasado con nuestros padres, no logremos comprender cómo nos hace libres el Señor, como lo afirma en la Biblia. *"El hipócrita daña con la boca a su prójimo; Mas los justos son librados con sabiduría". Prov. 11.9.* En múltiples ocasiones antepondremos el egoísmo y el enojo antes de practicar en nuestras vidas la verdad que hemos conocido, como sucedió en mi caso. El que mi padre haya sido abandonado por su padre en los primeros años de su infancia a la vez que quedaba huérfano con sus hermanos pequeñitos, no me era suficiente razón para entender la manera de proceder de él frente al compromiso de asumir una familia. Era más fácil juzgarlo y culparlo de su abandono. Pero mucho menos posible era ponerme en el lugar del padrastro más tosco y grotesco que había tenido; aun cuando descubrí que antes de la adolescencia había sido regalado o prestado a unos parientes lejanos para que lo criara porque ya en la casa había demasiados hijos para sostener.

Justificar las actitudes de estos hombres no es para nada mi intención, pero sí ser empática para poder interpretar muchos de sus maltratos psicológicos recibidos por mi madre y toda la familia. Entendiendo que, además de poner en manos de Dios todo cuanto nos pasa; debemos también agudizar nuestros sentidos naturales como los ojos y oídos para detectar y detener a tiempo cualquier índole de maltrato que se pueda perpetrar dentro del seno familiar. Recuerda que el abuso, no es solamente cuando se trata del área sexual. Las agresiones verbales también pueden producir heridas que duelen tanto como las agresiones físicas. Es tiempo de hacer un ¡alto! Y dejar de tapar lo que está a la vista con relación al mal trato en el hogar.

En mi caso particular, haber reconocido a Dios como Padre, me enseñó a dejar la constante queja en la vida, a perdonar a mis padres por la tristeza que habían producido en mi infancia, velar por ellos con atención y amor. Además, aceptarlos tal y como son pues también han sido creados por el mismo Dios que me ha hecho a mí. ¡Honra a tu padre y a tu madre!

CAPÍTULO VII

Dios renovará tu corazón

El desierto no es tu destino.

La palabra de Dios nunca deja de sorprenderme. Me maravilla ver cómo Dios insiste en proteger al pueblo de Israel luego de haberlo arrebatado de manos del Faraón de Egipto. En el libro de Números del capítulo 13 en lo adelante, en la Biblia encontramos una serie de dificultades por las que tuvo que atravesar Moisés como encargado de esta misión. En el camino, los israelitas se enfadaron y rebelaron contra Jehová porque no creían de corazón las promesas que se les había dado. Algunos, aunque creían se desesperaron porque ya había pasado mucho tiempo y no veían cumplir lo prometido. La rebeldía crecía cada vez más a causa de la incredulidad.

El pueblo, al ver las condiciones de aquel suelo donde los había guiado Moisés, una tierra árida y seca, en donde la lluvia era muy escasa y de poca precipitación, comenzó a desfallecer porque su confianza estaba puesta solo en lo que sus ojos podían ver, humanamente hablando. Alegaban creer en el Dios que no veían, pero con sus acciones demostraban lo contrario.

Muchas veces nos hemos sentido abandonadas en el desierto, aun cuando hemos decidido creer en el Señor. Caminamos por la vida dependiendo solo de aquellas cosas que nuestros ojos pueden ver o tocar, como los bienes que poseemos; la casa, el vehículo, la computadora o en el simple celular. Entonces, si uno de estos materiales se viera amenazado es como si se activara una alarma que da aviso de que estamos siendo abandonadas, pues crees que solo dependes de estas cosas. Olvidamos con cierta facilidad que la soberanía de Dios está por encima de toda estructura que nos hayamos creado en la mente, para sobrevivir al sistema. Él no depende de nosotros para obrar.

La Palabra dice en Deuteronomio 29.5 *"Y yo os he traído cuarenta años en el desierto; vuestros vestidos no se han envejecido sobre vosotros, ni vuestro calzado se ha envejecido sobre vuestro pie"*. Cuando Dios le promete al pueblo que llegarían a la tierra prometida, durante el trayecto se ocupó del más mínimo detalle, aun cuando conocía cuan cambiantes eran estos corazones.

La encomienda de Moisés, la cual tuviera que concluir Josué mucho más tarde, duró unos cuarenta años cuando esperaban realizar esta travesía en poco más de un mes. La incredulidad y constante queja empujó al pueblo a la desobediencia y por consecuencia a retrasar el viaje hacia la tierra prometida. ¿Has pensado que como ellos puedes morir en el desierto? Un sinfín de veces sentí esa sensación amarga de no hallar respiro de paz en la vida. La queja era la única salida que conocía para lidiar con las difíciles situaciones que me acarreaban tanto dolor. Al igual que en la misión de Moisés, solo estaba retrasando la oportunidad de algún día ser libre de todo lo que me impedía avanzar. Con la queja justificaba mis malas acciones haciendo responsable al mundo como si yo no fuera parte de él. Con la incredulidad formaba mi propio caparazón donde solo había espacio para mí, y mis propias creencias acerca de la fe.

Cuando medito en este proceso del pueblo de Israel es imposible que olvide de dónde me sacó Jehová. Imagino al Señor buscando nuevas formas para hablarme y hacerme comprender que el desierto no era mi destino, sino parte del propósito que tenía conmigo.

Si entiendes que Dios se ha tardado en responderte es tiempo para que hagas un alto y dejes de quejarte tanto. Comienza a vivir por la fe y no por lo que ves. Si Dios te dijo que te cruzará al otro lado como lo hizo con su pueblo, es porque lo hará. Si te ha dicho que vas a ser madre, aunque los años hayan pasado, ese hijo llegará a tus brazos. Dios ha renovado tu calzado mujer en medio del camino largo de tu proceso. Es tiempo de que te enrumbes hacia una vida de adoración y obediencia a Dios y comiences a creerle, aunque tus actuales circunstancias impidan que lo comprendas en el presente. ¡Dios puede hacerlo de nuevo!

¡Levántate y resplandece!

Isaías, uno de mis libros preferidos de la Biblia con el que el Señor ha podido reafirmar muchas áreas de mi vida, dice: *"Levántate, resplandece; porque ha venido tu luz y la gloria de Jehová ha nacido sobre ti" Isaías 60.1.*

Este capítulo nos avisa de forma anticipada que, con la llegada del Mesías, la gloria del Señor estaría entre su pueblo; por lo que les insta a llevar luz a "los gentiles", un pueblo que, aunque no era judío, Dios había encomendado le fuese llevado el mensaje. Una parte del pueblo judío no estaba del todo convencido de ser luz para esta población pues sus costumbres de promiscuidad e idolatría generaba rechazo sobre ellos. Pero, en los planes de Dios por medio al Mesías que habría de llegar venía incluido que "todo aquel que en él crea no se pierda, más tenga vida eterna".

Cuántas veces hemos sido clasificados o discriminados por una u otra religión que dice predicar el mensaje de salvación plasmado en la Palabra de Dios. Honestamente, a mí me sucedió en distintas oportunidades. En una ocasión en la que batallaba en el hogar con problemas de mi matrimonio, visité una iglesia donde se realizaba un culto que me atrajo por las canciones que escuchaba desde mi casa. Acababa de llegar del trabajo con mi uniforme de chaqueta y pantalón de oficina, no tenía ánimo para protocolos de cambio de ropa, así que entré. Unos minutos habían transcurrido cuando me tocó suavemente una joven de ojos verdes muy claros, me dijo: − ¿eres nueva en el sector? Asentí con la cabeza, y de inmediato me informó la regla principal del lugar de consuelo y restauración que creía era.

—Señora, si mañana desea volver a nuestros encuentros, no venga con pantalones.

Sentía como si me estuviesen expulsando de aquel lugar. No comprendí nada, pero al siguiente día, simplemente decidí encerrarme en mi casa, así me sintiera atraída por las hermosas alabanzas que escuchaba. Dios no hace excepción de personas. La salvación es por la Gracia de Dios, que es gratuita y no porque aparentes ser de tal o de cual aspecto físico.

En el camino es posible que nos encontremos con personas que de una manera u otra intenten subyugarnos a sus propios conceptos personales de cómo necesitas llevar y vivir tu vida con Dios. Esto podrá acercarte o alejarte dependiendo de las actitudes con que asumas la situación. Es necesario que ores pidiendo dirección cuando sientas que algo podría estar debilitando tu relación con Dios tu Padre.

¡Levántate, mujer! Porque Dios no ha terminado contigo, cosas que ojos no vio son las que tiene reservadas para ti. Aunque hayas tenido aflicciones y pérdidas en la vida, tu Padre siempre ha estado ahí. Su misericordia es para siempre, no solo para cuando te vaya bien o te vaya mal. Mejor es su misericordia que la vida. Fortalécete en el Señor y en el poder de su fuerza. ¡Resplandece!

Permite que aquel sacrifico del Hijo de Dios en la cruz cobre sentido en tu vida. Enciende tu lámpara y sé sabia mujer.

Dios cumplirá su propósito en ti.

En la década del 2000 mi madre y yo nos animamos a participar de una conferencia magistral para mujeres. Por primera vez escucharía en forma presencial uno de los congresos impartidos por Elizabeth George, una escritora estadounidense que me encanta. La experiencia fue inolvidable para mí. Aprendimos sobre cómo tratar mejor a nuestros hijos, a los esposos, a las amistades. Hasta aprendimos que también se puede responder con un "no" cuando sea oportuno. Una serie de estrategias para hacer mejor la convivencia humana en el mundo actual. Pero, algo que no pude olvidar jamás que fue uno de los libros de esta escritora, adquirido al salir de esta conferencia y un poderoso mensaje que encontré dentro. El libro se llama "Una mujer conforme al corazón de Dios" donde al concluir sus páginas, invita a la lectora a cambiar el estilo de vida quejosa y de poca acción. Sentí como si Dios insistiera en cambiar al fin mi derrotado lenguaje.

Somos lo que desde nuestro interior queremos ser. Si por las circunstancias que sea, elegimos ir sembrando por la vida odio, rencores, rechazo y maledicencia, estaremos cosechando exactamente lo plantado. Es posible que las heridas del pasado se tomen algún tiempo para sanar, pero Dios siempre buscará la forma de ir a tu auxilio para ayudarte en la recuperación que necesites. A veces, colocará en tu camino especialistas de la conducta, amigos, familiares, pastores, y ¿por qué no? hasta líderes de otras congregaciones. En algunos casos, aunque parezca increíble, también colocará hasta personas que jamás hayas visto, solo para enviarte una palabra de vida.

Depende de ti abrir tu corazón y hacerte sensible a su voz. Esto no te hace más débil ni vulnerable, al contrario, puede fortalecerte y reafirmar tu fe.

Recuerda que el propósito de Dios se cumplirá de todos modos en tu vida, así como hizo con David, que siendo él apocado por sus propios parientes, quizás por su frágil apariencia, Dios le insistía a Samuel que buscara al otro hijo de aquella familia, el que andaba en el campo pastoreando a las ovejas. En este hombre de complexión física delgada y baja estatura se tendría que cumplir el propósito de Dios, y este era David, el mismo que venció a Goliat.

Mujer que lees estas líneas, comienza una nueva temporada en tu vida. Coloca un nuevo tapiz en la entrada de tu corazón. El haber pasado tristezas profundas y abusos debe dejar de ser tu carta de presentación de por vida. Tú y yo fuimos pagadas con un alto precio en la cruz del calvario cuando Dios envió a su único hijo a morir por todos nuestros pecados. Hoy día, al ver a la hija que me quedó como fruto del abuso en la juventud, a mi mente llegan esas cicatrices, pero más arriba de estas puedo ver las marcas inmensas de aquel que sanó esas heridas cuando estuvieron abiertas. Estas huellas son más grandes y permanecen para siempre. Cuando puedo ver reestablecido el sistema de relaciones interpersonales con mis padres, familiares y amigos vuelvo a ver esas marcas de amor de Dios por su hija.

Aunque hayas estado mucho tiempo en medio de situaciones de dolor, Dios ha escuchado tu clamor. Ha ensanchado tu territorio para este tiempo como lo hizo con Jabes en 1 era de Crónicas 4.10. Cuando pidió la intervención divina. Busca con toda tu mente y toda tu alma un encuentro genuino con el Creador. Deposita en él todas tus cargas y anhelos. Ora, confía y espera en él, porque dice su Palabra: *"Jehová cumplirá su propósito en mí; tu misericordia, oh, Jehová es para siempre; no desampares la obra de tus manos. Salmo 138.8*

¡Jehová siempre cumple sus promesas!

EPÍLOGO

Mujer, tú no estás sola porque el Señor te lo confirma en su palabra cuando te dice "No temas, porque yo estoy contigo, no desmayes porque yo soy tu Dios que te esfuerzo; siempre te ayudaré, siempre te sustentaré con la diestra de mi justicia" Isaías 41.10

BIBLIOGRAFÍA

Biblia, Reina Valera. (1960)

Dunker Lamber, Rafael José Alberto y De Dunker, Fior de Jesús. (2008). *Como criar bien a los hijos sin destruir el matrimonio.* Editorial Búho.

Joyce, Meyer. (1997). *Controlando sus emociones.* Editorial Casa Creación.

Rick, Warren. (2002). *Una vida con propósito.* Editorial Zondervan.

SOBRE LA AUTORA

La maestra Angélica L. Peralta de Suero nació el 17 de julio de 1972 en la Ciudad de Santo Domingo. Es hija del Músico Juan de Jesús Peralta y la Maestra Matilde Puello de Grullón.

Desde niña, mostraba un gran anhelo por la lectura y la escritura, cuando jugaba a ser maestra enseñando a leer a sus muñecas. A sus trece años comenzó a sustituir a su madre como profesora en el tercer grado de primaria, donde comenzó a dejar ver su amor por los niños y la enseñanza. Le apasionan los procesos de alfabetización y adquisición de la lengua escrita, área que trabajó la mayor parte del tiempo en las aulas.

Soñaba con escribir su primer libro desde la adolescencia, temporada en que descubrió su preocupación por las dificultades y abusos que viven las madres solteras antes del abandono y luego de que son abandonadas junto a sus hijos, por la persona que le aseguró frente a un juez, que velaría por el bienestar de la familia.

En la actualidad cuenta con una serie de cuentos inéditos infantiles inspirados desde su práctica docente como maestra del primer grado de primaria los cuales planea publicar en lo adelante.

Ha cursado Estudios Superiores en el Instituto Superior de Formación Docente Salome Ureña, "Recinto

Educación Física" y en el "Recinto Félix Evaristo Mejía" donde realizó el Profesorado en Educación Física y la Licenciatura en Educación Básica. Ha realizado el Diplomado en Alfabetización Inicial y Acompañamiento Escolar en la Pontificia Universidad Católica Madre y Maestra PUCMM, ofrecido en el Marco de la Estrategia de Formación Continua Centrada en la Escuela. Ha participado en Encuentros por la Unidad de Educadores Latinoamericanos en Habana Cuba como parte de su formación complementaria a nivel internacional.

Desde el año 2009 es designada para la función de Técnico Docente en la Jurisdicción del Distrito Educativo 10-03 del MINERD. En este espacio se ha desempeñado como Coordinadora de Instituciones Educativas Privadas, Coordinadora de Bibliotecas Escolares y Acompañante Pedagógico del Primer Ciclo de Educación Básica.

Es creadora del Programa Trascendiendo Ahora, con el objetivo de ofrecer herramientas a las familias para fortalecer los vínculos saludables de convivencia. Actualmente está cursando Tesis de la Licenciatura en Terapia Familiar Sistémico en REDIME CHRISTIAN UNIVERSITY.

◉ @angelicaperaltadesuero

𝐟 Angéica Peralta de Suero

𝕏 LeonciaAngélica

✉ angelicaperalta.marte@gmail.com

✉ angelicaleonciaperaltamarte@gmail.com

✉ angelicaperaltamarte@gmail.com

Cliente de Amazon

Adiós a la coraza y nos muestra las cicatrices

Calificado en Estados Unidos el 24 de abril de 2021

La lectura de esta joya me muestra que en primer lugar NO debemos juzgar a nadie, nunca sabemos lo que está viviendo o ha vivido esa persona.

Y algo valioso como la autora decide para su sanidad y aportar a muchas mujeres, quitarse la coraza de su mal carácter y mostrarnos sus cicatrices y eso es de VALIENTES.

Gracias querida Angelica.

Útil

Blanca Vargas

Excelente ejemplar de crecimiento, aporte y valor.

Calificado en Estados Unidos el 20 de mayo de 2021

Me encantó este libro! Dios continúe instruyendo y moviendo a Angélica para que continúe perpetuando este legado de sumas y aportes de valor.

LUZ V.

Un libro que te anima a vivir en libertad

Calificado en el Reino Unido el 1 de febrero de 2021

Recomendado 100%

Mayela Torres

Hermoso testimonio de vida

Calificado en México el 2 de enero de 2021

Un libro sencillo para leer, en el que se respira la honestidad del corazón con la que fue escrito. Exhibir heridas propias en un libro, no es nada sencillo, pero la forma en la que la autora lo hace, es un auténtico testimonio que busca transmitir aquello que Dios ha hecho en su vida.

Muchas gracias por compartir el corazón de esa forma tan cercana. Dios te bendice

Florencia Anza - toña -
917 574 3089